国家重点基础研究发展规划(973)项目
黄河流域地下水可再生能力变化规律(G1999043606)课题
国家自然科学基金项目(40472131)

关中盆地地下水环境演化与可再生维持途径

王文科　王雁林　段　磊　孔金玲　著
田　华　杨胜科　孙　熠　王　钊

黄河水利出版社

内 容 提 要

本书是研究和探索关中盆地地下水环境演化与可再生维持途径的一部专著,是作者对所承担的"973"项目"黄河流域地下水可再生能力变化规律"(G1999043606)课题、国家自然科学基金项目(40472131)在这一领域的研究工作总结。主要包括地下水形成的自然条件、水文地质特征及其开发利用现状、水环境同位素及各水体间的关系、地下水动力场演化及环境效应、浅层地下水水化学场演化、地下水资源评价与解析、水文地质空间信息系统和地下水资源可再生能力及其维持途径探讨,对研究地下水和保护水资源具有一定意义。

本书可供从事地下水研究的科研人员及大专院校师生阅读参考。

图书在版编目(CIP)数据

关中盆地地下水环境演化与可再生维持途径/王文科等著.—郑州:黄河水利出版社,2006.12
ISBN 7 - 80734 - 174 - 2

Ⅰ.关⋯　Ⅱ.王⋯　Ⅲ.盆地 - 地下水资源 - 研究 - 关中　Ⅳ.P641.8

中国版本图书馆 CIP 数据核字(2006)第 165245 号

出　版　社:黄河水利出版社
　　　　　　地址:河南省郑州市金水路 11 号　　邮政编码:450003
发行单位:黄河水利出版社
　　　　　　发行部电话:0371 - 66026940　　传真:0371 - 66022620
　　　　　　E - mail:hhslcbs@126.com
承印单位:河南省瑞光印务股份有限公司
开本:787 mm × 1 092 mm　　1/16
印张:11　　　　　　　　　　插页:4
字数:254 千字　　　　　　　印数:1—1 000
版次:2006 年 12 月第 1 版　　印次:2006 年 12 月第 1 次印刷

书号:ISBN 7 - 80734 - 174 - 2/P·64　　　　　定　价:39.00 元

前　言

关中盆地位于陕西省中部,是陕西省政治、经济、文化的中心地带,在全国区域经济格局中具有重要的战略地位,被国家确定为 16 个重点建设地区之一。然而,关中盆地属于干旱半干旱地区,人均水资源占有量不到全国人均水平的 1/6。加之近年来工农业的发展和人口的增长,需水量不断增加,加剧了水资源的供需矛盾。

随着对水资源的大量开发和自然条件的变化,关中盆地正面临水资源短缺、水灾害加剧、生态环境恶化三大问题交织的严峻局面,这是关中盆地水、土、生态系统与人类社会经济系统相互作用下恶性发展的结果。渭河可能成为第二条黄河的论断,绝不是危言耸听。强烈的人类社会经济活动,引发了尖锐的水资源供需矛盾,导致一系列环境和生态方面的劣变过程,成为制约关中盆地可持续发展的瓶颈。

与地表水资源相比,地下水资源具有空间分布范围广、调节性强、水质洁净和可利用性强等优点,是人民生产生活的重要水源;同时,地下水资源又是非常敏感和重要的环境因子,对于维持水循环、保证生态环境良性发展具有重要作用。开展关中盆地地下水环境演化与可再生维持途径的研究,是实现渭河治理和关中盆地经济可持续发展的国家重大需求。

本专题是"973"项目课题"黄河流域地下水可再生能力规律研究"(G1999043606)的重要组成部分。本专题的目的是以关中盆地为典型研究区,以地下水环境演化为主线,通过对影响关中盆地地下水变化的自然因素和人为活动的分析,从量与质两个方面揭示地下水环境的演化规律;以可再生性维持理论为指导,探讨地下水可再生能力的概念、内涵与度量方法,提出区内地下水可再生维持途径与对策,为解决关中盆地水资源问题和缓解黄河流域水资源危机的研究提供科学依据。专题研究对于丰富水文水资源理论与方法、缓解关中盆地和黄河水资源危机、维持水资源与生态环境良性发展具有重要意义。

为研究和探索地下水环境演化以及地下水可再生性机理理论,本书作者先后承担了"973"项目、国家自然科学基金项目、教育部和国土资源部等部门的相关课题,开展了相关的基础性研究工作,取得了一些初步的研究成果。本书内容是近年来作者在本领域研究工作的总结。

在研究工作期间,得到了中国科学院院士林学钰教授,吉林大学廖资生教授、曹玉清教授、胡宽瑢教授,长安大学李俊亭教授的指导,同时还得到了陕西省地质调查院刘方教授级高工,陕西省工程勘察研究院李稳哲总工,陕西省地矿局第二水文地质大队原总工张茂省教授级高工、齐甲林高工,陕西省国土资源厅地质环境处肖平新教授级高工等的支持和帮助。另外,在研究成果中引用了相关单位的资料,在文中已作了注明,在此对上述专家、教授和单位表示衷心感谢。

全书共分八章,各章节的编写分工如下:第 1 章,王雁林、段磊;第 2 章,王文科、王雁林、孔金玲;第 3 章,田华、王文科、杨胜科;第 4 章,王文科、王雁林;第 5 章,孙熠、王文科、段磊、杨胜科;第 6 章,王雁林、王文科、段磊、王钊;第 7 章,孔金玲;第 8 章,王文科、王雁林、孔金玲。王文科负责全书的统稿工作,研究生杨晓婷参与了野外水位统测工作,麦柳妍、郭振华、杨泽元、马雄德、梁熙枫协助完成了部分图件的清绘工作。

限于作者水平,本书还有许多不完善和欠妥之处,敬请各位专家批评指正。

作者

2005 年 9 月

目　录

第 1 章　地下水形成的自然条件

1.1　自然地理条件

关中盆地位于陕西省中部,东经 107°30′~110°30′,北纬 34°00′~35°40′。研究区是一个三面环山、东面敞开的盆地,西起宝鸡,东至潼关,南依秦岭,北靠北山,东西长约 360 km,南北宽窄不等,东部最宽处可达 100 km 以上,面积约 1.9×10⁴ km²。海拔高度从西到东渐低,西部海拔 700~800 m,东部最低处仅 325 m。地形自山区向盆地中心呈阶梯状降落,依次为山前洪积平原、黄土台塬、河谷阶地。渭河自西向东横贯盆地中部,至潼关入黄河。区内自然条件优越,土地肥沃,文化教育事业发达,水资源条件良好,工业城镇密集,区内集中了陕西省 60% 以上的人口和 80% 的工业以及 52% 的耕地,是陕西省政治、经济、文化的中心地带,素有"八百里秦川"之称,也是我国重要的粮棉产区和国家重点建设的"一线两带"地区。同时,关中盆地在我国的交通运输结构中起着承东启西、连接南北的枢纽作用,目前已形成了以铁路为骨架、公路为网络、航空运输为补充的主体格局。由此可见,关中盆地在我国经济建设中具有重要的区位优势。

关中盆地地处中纬度地区,属于温带半干旱、半湿润、季风气候。多年平均气温 12~13.6 ℃;年降水量 530~1 000 mm(见图 1-1-1),西部多于东部,南部多于北部;蒸发量 1 000~1 200 mm;相对湿度 61%~72%,潮湿系数 0.6 左右,湿度适中。降雨空间分布特点是:秦岭山前年降水量 850~1 000 mm,渭河冲积平原 530~600 mm,渭北黄土台塬 550~750 mm。降水量年际与年内分配不均,年内降水量主要集中在 7、8、9 三个月,其降水量占全年的 45% 左右(见图 1-1-2)。关中盆地一年中的降水量多为双峰型,双峰多出现在 7 月和 9 月份。

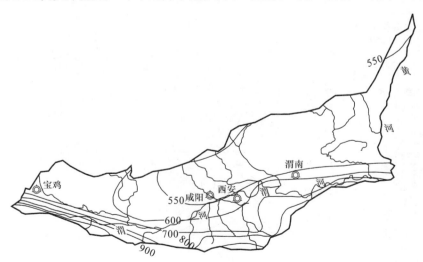

图 1-1-1　关中盆地西安站多年(1956~2003 年)平均年降水量分布图

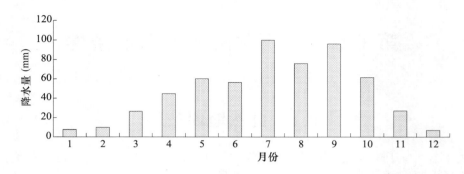

图 1-1-2　关中盆地西安站多年(1956~2003年)平均月降水量分布图

关中盆地河流主要是渭河水系(如图1-1-3所示)。黄河流经盆地的东界,由北而南至潼关纳渭河后转向东流,黄河出龙门基岩峡谷后,河谷开阔,流速顿减,泥沙大量沉积,形成了大片的高低河漫滩地。黄河由龙门至潼关向东入河南段,在关中盆地境内河长140 km,龙门站多年平均年径流量$330 \times 10^8 m^3$,潼关站多年平均年径流量$419 \times 10^8 m^3$。渭河是本区的最大河流,流出宝鸡峡后,河谷变宽,河床蜿蜒曲折,其多年平均年径流量为$101.6 \times 10^8 m^3$(包括泾、洛河),渭河年径流量变化较大(见图1-1-4),最大为$187.6 \times 10^8 m^3$(1964年),最小为$17.5 \times 10^8 m^3$(1995年)。渭河入境后接纳了由南、北而来的近百条大小支流,南岸源于秦岭的支流平行密布,向有"七十二峪"之称,主要有清姜河、石头河、汤峪河、黑河、涝河、沣河、浐河、灞河、赤水河、罗敷河等,这些河流径流较短、水流急,水位和流量受降水影响大,在山前洪积扇地区多渗漏补给地下水,是地下水的主要补给源。北岸支流较少,源于或穿越北山,主要有千阳河、漆水河、泾河、清峪河、石川河、洛河等,这些河流源远流长,河水具有暴涨暴落、含沙量大的特点。

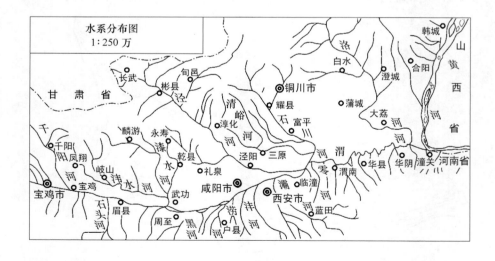

图 1-1-3　关中盆地水系图(据陕西省地矿局第一水文地质队,1979)

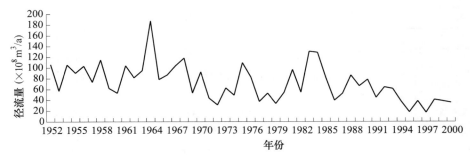

图 1-1-4　渭河华县站实测年径流量过程曲线图

1.2　地质、地貌条件

1.2.1　地质背景

关中盆地为一新生代断陷盆地。南侧边界紧邻秦岭褶皱带,北侧边界以北山为界,东端受黄河排泄,使地下水与汾河流域切断联系,成为一个独立的水文地质单元。山区与盆地两种构造单元以区域性断裂带为界,自南、北边界向盆地中心构成地堑之阶梯。晚始新世盆地开始凹陷,中新世至上新世继续沉降,堆积了巨厚的第三系河湖相碎屑岩建造。进入第四系后继续沉降,堆积了较厚的第四系松散堆积物,厚度达七八百米,下为第三系。地下水主要赋存于第四系松散岩类中。

盆地内第四系发育且分布广泛,从下更新统至全新统为一套完整的陆相沉积。盆地中部早期以湖积、冲湖积为主,晚期则以冲湖积、冲积为主;盆地边缘以冲湖积、洪积与黄土相互交替覆盖,构成多次沉积旋回。概括起来关中盆地比较明显的特点是:多数地层下部都下伏有河湖相沉积物;受新构造运动的影响,近代冲积层形成多级阶地,洪积层形成洪积物与黄土交互覆盖的洪积扇群;除现代河漫滩、一级阶地、洪积堆积区外,均覆盖了不同厚度的黄土。关中盆地地层岩性见表 1-2-1。

1.2.2　地貌条件

受地质构造控制,从南、北山前到盆地中心,呈阶梯状依次分布有山前洪积扇、黄土台塬、冲积平原等地貌类型(见图 1-2-1)。在渭河和洛河之间的阶地上,还分布有一狭长沙丘地形。具体可分为河谷阶地、黄土台塬、洪积平原和沙丘四个地貌单元。

1.2.2.1　渭河及其支流河谷阶地

渭河及其支流两岸的阶地最高为五级,阶地呈不对称分布。一、二级阶地比较发育,阶面平坦开阔,二级以上的各级阶地上均有不同时期的黄土覆盖,形成上为黄土堆积下为河流冲积的二元结构。三至五级阶地主要分布在宝鸡至眉县和西安一带及灞河东岸、千河东岸。黄土覆盖具有一定的规律,二级阶地上的黄土中含 1 层古土壤,三级阶地含 3~5 层,四级阶地含 6~8 层,五级阶地含 16~17 层。各阶地间的接触关系均为陡坎接触,只在西安以东渭河北岸呈缓坡接触。

表 1-2-1 关中盆地地层岩性表(田春声等,1995)

系	统	组	岩 性 主 要 特 征
第 四 系	全新统 Q₄		下部为一级阶地的冲积层(alQ_4^1)和一级洪积层(plQ_4^1)。冲积层的上面是砂质黏土、黏质砂土(2~10 m),下面是砂、砂卵石夹黏土砂土(10~80 m);洪积层为砂砾石、漂石及砂质黏土互层(10~20 m) 上部为冲积层(alQ_4^2),以砂、砂砾石为主;洪积层(plQ_4^2)为砂砾石、漂石、碎石及泥砂堆积物;风沙堆积层($eolQ_4^2$)主要是细砂、粉砂夹黏质砂土,分布在渭河和洛河间;沼泽化学堆积层($h+chQ_4^2$)以砂质黏土为主,分布于富平的刘集、施家镇间的卤泊滩及大荔盐池洼地(5~28 m)
	上更新统 Q₃	乾县组	冲积层(alQ_3):砂质黏土、黏质砂土、砂、砂砾石,分布在渭河及支流二级阶地底部;冲洪积层($al+lQ_3$):砂质黏土、黏土及砂砾石,其上覆盖马兰黄土;洪积层(plQ_3):砂质黏土、砂砾石及漂石;风积黄土($eolQ_3$):即所谓的"马兰黄土",淡黄色,质地疏松,夹1~2层古土壤,分布在渭河二级阶地以上各单元
	中更新统 Q₂		风积黄土($eolQ_2$):浅黄、棕黄色黄土状砂质黏土,含钙质结核,夹8~16层古土壤,分布在黄土塬区;冲洪积层($al+lQ_2$):砂质黏土、黏质砂土、黏土与砂、砂砾卵石互层;洪积层(plQ_2):砂质黏土、黏质砂土及含泥较多的砂砾石、漂石
		泄湖组	下部:风积层,褐红色致密黄土状砂质黏土,含8~9层古土壤,分布于灞河五级阶地;冲积层,砂砾卵石、砂砾石与黏土、砂质黏土互层,分布在千河以西渭河五级阶地、礼泉、大荔、渭河南岸的黄土塬 上部:风积层是褐黄色黄土状砂质黏土,夹3~4层古土壤;冲积层为河流相砂、砂砾卵石、砂质黏土、黏质砂土,分布在渭河及支流的三、四级阶地
	下更新统 Q₁	三门组	冲积层(alQ_1):砂砾卵石及黏土、砂质黏土,分布在宝鸡峡石河至千河之间的渭河五级阶地底部、千河至常兴之间的黄土塬底部,只在阶地或塬前陡坎处出露;冲洪积层($al+lQ_1$):下部为浅色的细砂、粉砂与黏土、砂质黏土,上部为深色的黏质砂土、砂质黏土夹细砂;洪积层(plQ_1):为砂砾石、漂石、卵石、碎石与砂质黏土、黏质砂土、黏土互层;风积层($eolQ_1$):淡棕红、橘黄色黄土状砂质黏土,分布在二级黄土台塬和黄土丘陵的下部
第 三 系	上新统 N₂	蓝田组	深红色黏土、棕红、灰白色砂砾岩,黏土含丰富的钙质结核及灰绿色团块。主要分布在宝鸡、蒲城到合阳地区与灞河两岸
		灞河组	橘黄色砾岩、砂岩和棕黄色砂质泥岩、棕红色泥岩互层,分布在泄湖镇以南灞河的左岸,灞河的右岸向东至蓝田、蔡家坡、眉县一带
	中新统 N₁	寇家村组	下部为砂岩与砂砾岩互层、橘黄色砂质泥岩,上部为淡棕红色砂质泥岩及泥岩互层。分布在沿灞河两岸
		冷水沟组	紫红色泥岩及砂岩互层,分布在临潼西南沟谷中
	始渐新统 E₂₋₃	白鹿塬组	分布在蓝田地区的灞河两侧。为灰白色厚层砂岩夹紫红色泥岩
	始新统 E₂	红河组	分布于骊山的西侧和南侧的冷水沟及支家沟上游的常家村、红河上游的吉家湾一带。为紫红色泥岩、砂质泥岩及细砂岩互层

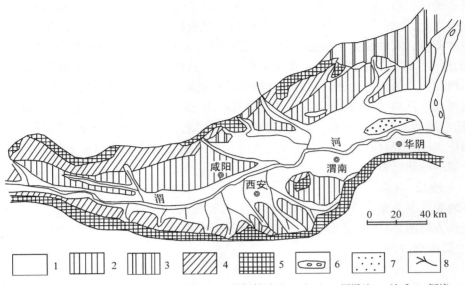

1. 渭河冲积平原；2、3. 一、二级黄土台塬；4. 山前倾斜平原；5. 山区；6. 沼泽地；7. 沙丘；8. 河流

图 1-2-1　关中盆地地貌图

1.2.2.2　黄土台塬

区内黄土台塬分布面积广。按其塬面高程、形态、组成物质及下伏基底构造，可划分为一级黄土台塬和二级黄土台塬。

一级黄土台塬：塬面较低（500～900 m），面积广，分布连续。塬面平坦，多呈阶状地形，塬面上洼地发育，与河谷平原为陡坎接触。组成物质上部是80～120 m厚的黄土，夹有多层古土壤；下部是下更新统的冲、洪、湖相等沉积物。

二级黄土台塬：塬面较高（600～1 000 m），塬面洼地和冲沟发育，与一级黄土台塬或高阶地呈陡坎接触。组成物质上部是60～120 m厚的黄土，且西部厚、东部稍薄，夹有多层古土壤；下部是第三系或第三系基岩。

根据下伏地层可以分为：①下伏洪积相的黄土台塬，如扶风、蒲城—富平、渭南、潼关等黄土台塬的后部，地势高，分布广，起伏大；②下伏河湖相的黄土台塬，如乾县、礼泉、渭南等黄土台塬，地势低，塬面平坦开阔，分布有洼地；③下伏湖沼相的黄土台塬，仅分布在蒲城—富平黄土台塬的前部，地势低缓，塬面洼地发育；④下伏第三系泥岩的黄土台塬，分布在宝鸡、蓝田一带，塬面起伏大；⑤下伏第三系基岩的黄土台塬，分布在澄城、马额塬以北的黄土台塬，塬面起伏大，冲沟发育，切割强烈。总体上说，以漆水河为界，漆水河西部的黄土台塬塬面较为破碎，沟谷深切；东部的黄土台塬塬面较平整，塬内洼地密布。

1.2.2.3　洪积平原

该地貌主要分布在秦岭、北山山前一带。洪积扇互相连接成群，形成带状分布的洪积群或山前倾斜平原。秦岭山前洪积扇具有时代新、洪积物颗粒粗、厚度大的特点；北山山前洪积物粗颗粒较细，主要为砾石、砂、砂质黏土交互堆积，上面还覆盖有黄土及黄土状砂质黏土。根据地表形态、组成物质和结构特征，洪积扇结构类型可划分为埋藏型洪积扇和内迭或上迭型洪积扇。

埋藏型洪积扇:秦岭山前和北山山前洪积扇由于构造运动长期下沉,新洪积扇超覆在老洪积扇之上,形成了掩埋式或埋藏型洪积扇。组成物质自下而上由下更新统到全新统的含泥砂卵石、砂、砂质黏土层迭置而成。秦岭山前埋藏型洪积扇分布在周至到长安和华县、华阴地区。北山山前埋藏型洪积扇分布在富平县曹村镇至蒲城县美原镇、乾县、礼泉一带。组成物质为含泥的砂砾卵石及含砂砾的砂质黏土、黄土状土互层。

内迭或上迭型洪积扇:分布在眉县槐芽及岐山、扶风一带。由于哑柏—岐山断层的影响,新构造运动上升比较强烈,洪积扇被水流侵蚀切割,扇面成阶状地形,老洪积扇分布在较高部位,新洪积扇位于低处,组成内迭式洪积扇。组成物质上部为黄土及黄土状土,下部为含泥的砂卵砾石。

1.2.2.4 沙丘

该地貌主要分布在渭河和洛河之间的一级阶地上,东西长 30 km,南北宽 6 ~ 10 km。沙丘是由古渭河、洛河河道迁移起沙,经风吹扬而引起的。沙丘面积大约 250 km²,厚 20 ~ 30 m,主要由细沙组成。

第 2 章 区域地下水分布规律及开发利用现状

2.1 地下水系统

关中盆地是新生代断陷盆地,沉积了巨厚的陆相松散堆积物,蕴藏着丰富的地下水,尤其以第四系为重要的含水层,是储运地下水的良好场所。渭河横贯其中,地势低平,雨量适中,含水层分布广而连续,补给条件好,水资源较丰富。南北两侧山区,地下水接受补给后均向盆地中心汇集。从地质、地貌及水文地质条件来看,构成了一个完整的盆地型地下水流系统。从系统论角度出发,地下水系统是由若干具有一定独立性而又相互联系、相互影响的不同等级的亚系统或次亚系统组成,它是水文系统的一个组成部分,与降水和地表水系统存在密切联系,互相转化,地下水系统的演化,很大程度上受输入与输出系统的控制(陈梦熊、马凤山,2002)。

根据上述定义和关中盆地含水层系统水动力条件、补排关系等,将关中盆地浅层地下水系统划分为三个亚系统,即渭河以南山前洪积扇与黄土台塬地下水亚系统、渭河冲积平原地下水亚系统和渭河以北山前洪积扇与黄土台塬地下水亚系统(如图 2-1-1 所示),三个亚系统之间相互关系见图 2-1-2。上述结构主要反映了第四纪潜水与承压含水层的结构变化、不同介质含水体地下水相互转化关系、各亚系统之间的联系,以及输入、输出系统的相互交换作用。

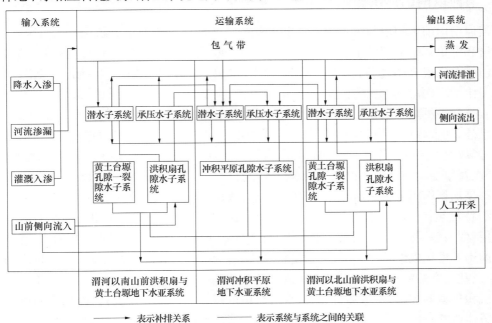

图 2-1-1 关中盆地地下水系统图

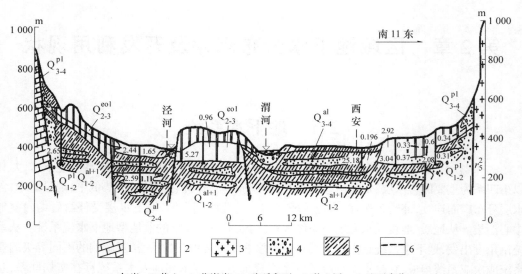

1.灰岩；2.黄土；3.花岗岩；4.砂砾卵石；5.黏土层 ；6.地下水位

图 2-1-2　关中盆地水文地质剖面图(地质矿产部兰州水文地质工程地质中心)

2.2　地下水分布规律

2.2.1　渭河以南山前洪积扇与黄土台塬地下水亚系统

渭河以南山前洪积扇与黄土台塬地下水亚系统含水层主要为中更新统—全新统砂、砾卵石层和中更新统上部黄土及古土壤。由于秦岭断块的强烈翘起及渭河盆地的下陷，在秦岭山前形成很大的高差，尤以断凹部(周至—户县段、华县—华阴段)为剧(周宗俊，1985)。山前洪积物的堆积以快速加积作用为主，颗粒粗，含泥量小，沉积厚度大。岩性等可进一步分为中更新统洪积层(plQ_2)、上更新统(冲)洪积层，除上更新统坡风积层分布于山坡一带外，其余各洪积层和冲洪积层均迭置于平原之中，仅仅是老的埋藏于下，新的迭覆其上，形成上下层迭关系。岩性为砾卵石含漂石、砂砾石及亚黏土互层。亚黏土的分布范围、层次及厚度均与沉积水道变迁及水量大小有关。由于长期沉降的古环境，各时期的洪积物都是加积作用造成，进积或退积作用微弱，故粗细颗粒交互带变化不大，演化不宽。总的沉积特征是：①从山前至平原(扇顶至扇缘)沉积颗粒由粗变细，由单一砾卵石含漂石、砂砾石变为多层砂砾石、亚黏土粗细相间；②水流外泄的河道堆积以粗粒相为主，间歇性水流的沟谷堆积以细粒相为主，混杂粗粒物质，两侧沟峁扇地时长时短而沉积物以细为主，间夹杂乱无章的粗粒物质，形成含水条件较差的洪积平原；③洪流沟道的变迁受水文因素及沉积环境的控制，水道随时变迁，水道充填层序一般向上变细变薄，故在剖面上多出现透镜体或叶状体。这些特点控制了地下水的储存与分布(王文科，2001)。

秦岭北侧水系众多(俗称"七十二峪")，呈羽状平行密布，源短流急，水流清澈，河床都为砂、石质，透水性极强，一些河流出峪口不远便全部潜入地下，河床出现断流。据实测，河水渗漏系数为 0.2~0.4,个别处高达 0.8~1(王文科,2001)。到洪积扇前缘,由于地形变缓、颗粒变细、径流受阻,复而溢出成河。溢出泉呈带状分布,含水层储水及导水能力强,接受降水、地表水和灌溉回归水的补给条件好,除此而外,尚可得到秦岭山区基岩裂隙水的侧向补给,易蓄易采,富水性强,单井涌水量一般为 1 000~2 500 m³/d。

渭河以南黄土台塬主要分布于洪积扇与渭河冲积平原之间,台塬范围较小或为残塬区,赋存潜水的主要含水层为中更新统上部黄土及古土壤,含水层透水性和赋存能力较差,富水性差,单井出水量一般在 250 m³/d 以下。

2.2.2　渭河以北山前洪积扇与黄土台塬地下水亚系统

北山山前洪积扇地处渭北断阶,相对高差小,北山系黄土覆盖的低山丘陵,洪积物颗粒较细,含泥量高,含水层呈透镜体断续分布。常发育多级洪积扇,其中二级以上洪积扇均被黄土披盖。洪积扇越老,黄土盖层越厚。源于黄土高原的水系较少,源远流长,含泥量高。地下水补给条件差,仅凤翔一带水系较发育,补给条件较好。一些地势较高、被水系切割强烈的老洪积扇,储水条件差,地下水贫乏。地下水分布规律为:北山山前凤翔县一带,水位埋深一般为 5~30 m,含水层厚 30~60 m,单井涌水量一般为 500~1 000 m³/d;岐山、蒲城县一带,水位埋深一般为 20~40 m,含水层厚 30~80 m,单井涌水量一般为 100~300 m³/d;乾县及蒲城县等地,水位埋深一般在 20~40 m,深者诸如蒲城的马湖达百米左右,含水层厚几十米至近百米,单井涌水量一般在 100 m³/d 以下。

位于北山山前洪积扇至渭河冲积平原之间的黄土台塬,宽阔连续,塬台平坦,略有起伏,展布着以北东向为主的构造、侵蚀洼地。受渭河支流的切割,形成彼此互不相连的河间地块。赋存潜水的主要含水层为中更新统上部黄土及古土壤(一般在 50~60 m),随着深度的加大,黄土的结构变得致密,透水性变差。黄土及其间夹的古土壤层是一种特殊的弱透水层,其储水、导水能力较差,给水度为 0.04~0.08,塬面洼地给水度为 0.08~0.12,导水系数为 3~30 m²/d。天然条件下黄土台塬的补给、排泄处于平衡状态,主要补给来源是当地降水入渗。由于地下水埋藏较深(40~80 m),包气带透水性差、厚度大,补给条件较差。此外,尚有来自较贫水的洪积扇地下水径流补给。黄土台塬的主要排泄方式是流向渭河冲积平原的地下径流,以及向河谷及下部深水层(承压水)排泄。塬面洼地水位埋藏浅(8~20 m),由于其地势低洼,常常具雨洪冲刷而致的次生黄土沉积(含粉砂质较高),包气带较薄,透水性较好。加之洼地利于地表水的汇集,补给条件较好,潜水较丰富,潜水浸润曲面常常呈隆起状态——地下水"水丘"。

20 世纪 70 年代以来,随着冯家山、羊毛湾、宝鸡峡等灌溉工程的相继投产运行,在一些黄土台塬地区大量引地表水灌溉,由于缺乏先进的灌溉技术,加之对黄土地区地下水和地表水相互转化机理的认识不够,采取兴渠废井、大水漫灌的粗放式灌溉方式,引起地下水采补失调,使 80 年代初期至 90 年代初期地下水位持续上升,导致坑、洼地被渍水淹没,发生水质恶化、路基路面变形、房屋地基失稳变形等现象,给农业生产、人民生活造成极大危害。

2.2.3　渭河冲积平原地下水亚系统

渭河冲积平原地下水亚系统含水层为中更新统至全新统冲积砂。砂砾卵石与亚黏土互层,高阶地上部覆盖着厚度不同的风积黄土。含水层岩性、厚度总的变化规律(陕西省地下水工作队,1991)是:靠近主河道的漫滩、低阶地,含水层颗粒粗、厚度大;远离主河道的高阶地,则颗粒细、厚度小。沿渭河方向,由于新构造运动的差异性和不均一性,宝鸡附近含水层薄,周至—西安一带含水层增厚。渭河漫滩,一、二级阶地,潜水位埋藏深度大部分小于 5 m,局部 5～20 m,含水层厚度大(10～80 m),补给条件极好,属强富水区,单井涌水量 880～5 000 m³/d,矿化度小于 1 g/L,仅在西安等个别地段出现 1～3 g/L;高陵—大荔一带渭河支流冲积层,潜水位埋深浅,水位 1～20 m,且以小于 5 m 居多,含水层厚 5～30 m,颗粒较细,多由亚砂土、亚黏土及细粉砂组成,储水、导水能力均较弱,但阶面平坦开阔,地处泾惠渠、洛惠渠及交口抽渭三大灌区,补给条件好,属富水区,单井涌水量 385～810 m³/d,矿化度局部小于 1 g/L,大部分地区为 1～3 g/L,个别地段大于 3 g/L;呈条带状分布的渭河及支流高阶地,含水层薄(5～25 m),潜水埋深较大(20～65 m),补给条件差,属弱富水区,单井涌水量 178～297 m³/d,矿化度小于 1 g/L,个别地段为 1～3 g/L。总之,渭河阶地的水文地质条件是:南岸优于北岸,上段(以渭河、泾河为界)优于下段。

值得指出的是:冲湖积为主的砂、砂砾石、亚黏土互层承压水层广泛分布于眉县以东地段,埋伏于上述各含水层之下,厚度巨大。含水层顶板深为 50～100 m 不等,承压水头埋深一般为 10～50 m。有的地带,如渭河漫滩及秦岭山前洪积扇前缘的局部地段,钻孔水头可高出地表 3～5 m,有的甚至高出 10 m。其富水性由河谷向两侧递减。眉县以东、临潼以西的渭河漫滩及低阶地近河地带,承压水头埋深一般小于 5 m,单井出水量一般为 1 000～2 000 m³/d。户县、西安、泾阳、渭南、华阴等河谷阶地,承压水头埋深一般小于 10 m,单井涌水量一般为 500～1 000 m³/d。

2.3　地下水补、径、排条件

2.3.1　补给条件

区内地下水主要接受大气降水的补给,其补给强度与地貌部位、岩性、潜水位埋深、降水量大小及降水持续时间等有密切关系。河谷冲积平原地区,以河漫滩、一级阶地渗入系数最大,可达 0.3～0.5,二、三级阶地渗入系数为 0.2～0.3;洪积平原地区,在前缘地下水位埋藏较浅的地带,虽然地势低平,有利于降水入渗,但包气带岩性较细、渗透性较差,一般情况下渗入系数比冲积平原要低。黄土台塬的渗入系数与塬面完整程度及潜水位埋深的关系密切,宽阔平坦的台塬及水位埋深浅的洼地区渗入系数可达 0.1～0.3;而残塬区渗入系数一般较小。

河水渗漏补给也占有相当比例,尤其是秦岭山前七十二峪,出山口后对地下水补给程度极为显著,一般河水渗漏系数为 0.2～0.4,个别高达 0.8～1。在河流中游段,河水季节性补给两岸地段,各支流汇入渭河前以及渭河渭南以下段,有的形成地上河,河水常年补给地下水。据笔者野外试验,渭河对地下水补给强度,由上游至下游呈减小趋势;另据地下水动态资料以及渭河岸边出现 1～3 km 的水质淡化带分析,可大致确定渭河补给地下水宽度在 1～3 km 之间。源于北山的河流较少,含泥量大,较渭河南岸各支流渗漏补给量小。

　　区内自 20 世纪 30 年代以来先后兴建了泾惠、洛惠、渭惠、宝鸡峡、冯家山、羊毛湾、交口抽渭、东雷抽黄等水利灌溉工程，大量引地表水灌溉以及渠系、水库渗漏对地下水直接补给使水位上升。例如 20 世纪 60~70 年代，泾惠、洛惠、渭惠灌区受长期灌溉影响，潜水位普遍上升了 5~10 m，一些地方甚至大于 10 m；70 年代以后，随着冯家山、羊毛湾、宝鸡峡引渭工程等灌溉工程的相继投产运行，大量引地表水灌溉和落后的灌溉技术，曾使 80年代冯家山、宝鸡峡等灌区地下水位大幅度上升，导致一些地质灾害现象的产生。

　　另外，盆地边缘地带也可接受山区基岩裂隙水（秦岭）或裂隙—岩溶水（北山）侧向补给。

2.3.2　径流条件

　　地下水流向与地形基本一致（如图 2-3-1 所示），分别由盆地两侧向盆地中心、由河谷上游向下游运动，最终排泄于河流与河谷之中。由于地质地貌及自然地理条件不同，不同地段径流条件存在着差异，以西安灞河、泾河为界，东西两部分潜水径流条件迥然不同。

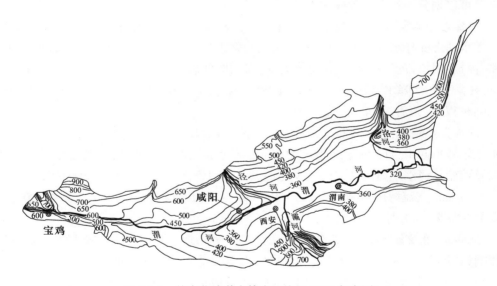

图 2-3-1　关中盆地潜水等水位线图（2001 年实测）

　　西部地区地下径流通畅，水循环交替积极，以水平排泄为主；东部地区地下水径流滞缓，水循环交替慢，以垂直排泄为主。因而也决定了东、西两地区潜水水化学特征的显著差异。从山前至盆地中部潜水径流条件也表现出分带规律，潜水水力坡度由 6‰→3‰→1.2‰，流速由快→慢，水循环交替作用由强→弱，水动力条件由强烈交替循环带→中等交替循环带→缓慢交替循环带。被河水切割较深的、面积较小的黄土塬河间地块，如渭河南岸的白鹿塬、少陵塬、渭南塬等，潜水流向除总的趋势遵循区域流向外，在塬边则呈放射状流动，潜水面以塬中部为中心，形成穹丘状，浸润曲线向沟谷方向迅速降落，因而水力坡度大（5‰~15‰），径流短，循环交替积极。

2.3.3 排泄条件

地下水排泄方式主要为蒸发、向河流水平排泄、以泉的形式排泄和人工开采。蒸发排泄主要发生在地下水位埋藏小于 5 m 的地区;向河流排泄主要发生在渭河及其支流的中下游地段的平枯水期,但受三门峡水库蓄水影响,渭河渭南以下段及其部分支流下游已成地上悬河,地下水已由补给河水演化为河水补给地下水;以泉的形式排泄主要发生在黄土台塬边坡及沟谷边坡、洪积扇前缘、阶地前缘陡坎等地段;人工开采主要是城市集中开采和农村间歇性开采。据 2001 年统计,全区农业开采量 2.70×10^8 m³/a,以开采潜水为主;城市工业及生活用水开采量 8.21×10^8 m³/a,以集中方式开采潜水和承压水为主。

2.4 地下水动态特征

关中盆地潜水动态,主要受气象、水文、灌溉和人工开采四种因素制约,依据其组合关系大致可以划分为如下五种成因类型。

(1)降水影响型:主要分布于潜水开采量比较少的黄土台塬和秦岭山前洪积扇等地段。潜水动态受降水入渗的影响,水位变化与降水量变化基本一致,降水量大,水位升高,但略有滞后现象,包气带越薄,影响愈明显,滞后时间愈短。一般来说,潜水位埋深小于 8 m 时,在雨季和次降水量在 10 ~ 15 mm,雨后 1 ~ 2 天水位开始回升;在干旱季节,降水强度在 20 mm 以上,雨后 3 ~ 4 天开始回升。

(2)水文影响型:主要分布于渭河及其支流漫滩和部分一级阶地区。潜水水位动态与河水动态基本同步,且离河愈近影响愈明显。潜水位变化具有速度快、幅度比河水位变幅小以及随着与河水距离的增加而减少的特点。一般情况下,渭河对两岸地下水影响带宽度为 1 ~ 3 km,支流两岸影响带为 0.5 ~ 1.0 km。高水位期出现在 5 ~ 6 月及 9 ~ 10 月,枯水期为 3 月及 7 ~ 8 月,年变幅小于 1.5 m。

(3)降水、水文影响型:主要分布于山前洪积平原,地下水位变化受降水和水文因素双重影响,其年内 1 ~ 3 月为枯水期,水位较低,2、3 月为年内最低。4 月份起水位呈上升趋势,至 9 ~ 11 月丰水期时达到当年水位高峰值,一般 11 月份达到最高。冲洪积扇顶部、轴部水位变幅大于扇缘水位变幅,年内水位变幅可达 0.5 ~ 15 m。北山山前地下水位变幅一般小于秦岭山前地下水位变幅。

(4)降水、灌溉影响型:主要分布在引地表水灌溉灌区,如黄土台塬、洪积扇前缘及河流阶地局部地段。潜水动态除受降水入渗影响外,还受地表水灌溉渗漏的影响,在丰、平、枯的不同降水年份,其影响程度不同。丰水年的降水入渗为主要因素;干旱年以渠系渗漏和田间灌水入渗为主,其次才是降水入渗;平水年两者大致相当,但降水入渗稍强。潜水位变幅与地下水位埋深、包气带岩性结构、降水量大小、灌溉次数与定额以及灌溉技术等密切相关。例如不少地区因长期大量引地表水灌溉曾引起地下水位上升临近地表,造成地质灾害。潜水位年变幅和多年变幅:蒲城南部地段一般为 0.3 ~ 1.5 m 和 0.7 ~ 2.9 m;

泾河以西一般为 0.7 ~ 2 m 和 2.1 ~ 6.45 m;眉县一般为 1 ~ 2.5 m 和 0.77 ~ 2.56 m;周至一般为 2.5 ~ 7.5 m 和 1.85 ~ 3.42 m;户县一般为 0.54 ~ 2.17 m 和 0.17 ~ 0.78 m;冯家山灌区和宝鸡峡灌区一般为 1.0 ~ 4.0 m 和 5.0 ~ 20.0 m。

(5)开采型:主要分布在开采程度较高的机井灌区和城镇集中开采的水源地。潜水动态受开采影响,开采季节水位普遍下降,非灌期或低峰用水期水位逐渐回升。水位变化特点为下降速度快,回升速度相对缓慢、变幅大,总的趋势表现为多年连续下降。高水位一般在 11 ~ 12 月,低水位一般在 6 ~ 8 月。年变幅一般在 1.0 ~ 15.0 m,多年变幅一般为 0.5 ~ 5 m。

承压水的动态规律与潜水有密切关系,但与潜水相比,变幅较小,响应较缓慢。在一些集中开采承压水的水源地,如宝鸡市、西安市、咸阳市和渭南市等城市供水水源地,承压水动态受开采影响较大。

2.5 地下水化学特征

区内地下水水化学成分形成与演化受地质地貌条件、地下水动力场等因素控制,总体特征是渭河下游的西段(宝鸡峡至泾河入渭河口)地形坡度较大,地下水水力坡度大,含水层颗粒较粗,径流通畅,地下水以溶滤作用为主,水质良好,为低矿化度重碳酸型水。渭河下游东段(泾河入渭河口至渭河入黄河口)地势平坦,地下水水力坡度小,径流条件差,含水层多为细颗粒,以蒸发浓缩作用为主,形成水质不良的微咸水、咸水,出现氯化物、碳酸型和重碳酸型的复合水型;黄土台塬的塬面洼地地下水径流不畅,水质也比较差;而秦岭山前洪积扇区含水层颗粒较粗,地下水水力坡度大,径流通畅,水质好,多为重碳酸型水。关于地下水水化学成分的形成与演化在下文中将专门论述。

2.6 地下水开发利用现状及存在问题

2.6.1 开发利用现状

关中盆地地下水资源较丰富,地下水位埋藏浅,易蓄易采,经济合理。因此,自古以来地下水一直是区内生活和工农业重要的供水水源,主要以城市集中开采方式和农村分散间歇式开采方式开采埋藏 300 m 以内的浅层地下水。据统计,20 世纪 70 年代以来,随着工农业发展和人口增加,区内各地市地下水开采量呈增长趋势(如图 2-6-1 所示),至 2001 年,全区地下水开采量已达到 36.89×10^8 m³/a,开采程度为 74%。据统计,2001 年西安地区总井数为 49 179 眼,开采井分布密度为 1.95 ~ 18.31 眼/km²,开采区面积为 4 777.23 km²,开采量达 12.10×10^8 m³/a;平均单井出水量(以 1999 年计)为 2.62×10^4 m³/a。宝鸡市开采区面积为 3 792.95 km²,总井数 15 761 眼,开采井分布密度为 2.04 ~ 4.65 眼/km²,平均 4.16 眼/km²,平均单井出水量为 $1.847\ 6 \times 10^4$ m³/a。咸阳市开采区面积为

3 671.17 km²,总井数 19 118 眼,开采井分布密度为 1.83 ~ 9.99 眼/km²,平均 5.21 眼/km²,平均单井出水量为 2.944 3 × 10⁴ m³/a。渭南市开采区面积 5 099.36 km²,总井数 29 183 眼,开采井分布密度 2.04 ~ 12.29 眼/km²,平均 5.72 眼/km²,平均单井出水量为 1.845 8 × 10⁴ m³/a。2001 年关中盆地主要开采区开采井统计见表 2-6-1。

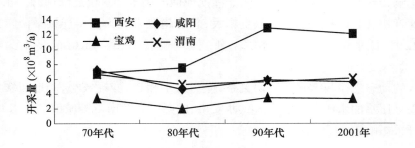

图 2-6-1　关中盆地各地市地下水开采量变化趋势图

表 2-6-1　2001 年关中盆地主要开采区开采井统计

城市		井数（眼）	面积（km²）	布井密度（眼/km²）	城市		井数（眼）	面积（km²）	布井密度（眼/km²）
西安	西安市区	12 268	808.98	15.16	宝鸡	宝鸡县	3 223	756.49	4.26
	长安县	8 886	750.50	11.84		凤翔县	2 793	628.92	4.44
	周至县	5 701	660.98	8.63		岐山县	2 718	583.97	4.65
	户县	9 615	525.04	18.31		扶风县	2 544	609.42	4.17
	高陵县	3 570	286.03	12.48		武功县	1 797	397.80	4.52
	临潼县	7 699	1 008.57	7.63		眉县	2 311	632.33	3.65
	蓝田县	1 440	737.13	1.95		宝鸡市区	375	184.02	2.04
	小计	49 179	4 777.23	10.29		小计	15 761	3 792.95	4.16
咸阳	咸阳市区	1 401	638.64	2.19	渭南	临渭区	6 714	1 057.86	6.35
	兴平县	5 071	507.43	9.99		韩城市	851	418.04	2.04
	三原县	4 325	576.90	7.50		华县	4 415	359.12	12.29
	泾阳县	5 221	633.42	8.24		华阴	1 691	266.04	6.36
	乾县	1 086	594.55	1.83		大荔县	11 209	1 744.97	6.42
	礼泉县	2 014	720.23	2.80		蒲城县	4 303	1 253.33	3.43
	小计	19 118	3 671.17	5.21		小计	29 183	5 099.36	5.72

注:数据引自《陕西省地下水资源评价报告》,2002。

　　关中盆地各市地下水开采程度与当地的水文地质及开采条件密切相关,总体上讲开采程度较高(达 60% 以上)。西安市地下水开采程度为 82%,宝鸡市地下水开采程度为 74%,咸阳市地下水开采程度为 62%,渭南市地下水开采程度为 72%。

　　关中盆地的西安市、宝鸡市、咸阳市、渭南市总用水量(地表水、地下水)占全省的 51.80%,地下水占全省的 69.22%。总体而言,关中盆地各地区地下水开发利用程度均较高,西安市、宝鸡市和咸阳市的工业、农业及生活用水占本市总用水量的比例在 48.22% ~

71.38%,西安市达71.38%,渭南市略低,也达48.22%。

西安市是西北地区最大的城市,工业生产、科研教育在国内占有极重要的地位,城市人口702万(民政部,2004),自新中国成立初期至20世纪80年代末,工业、农业及生活用水一直靠开采地下水,尤其是分布于市郊的工矿企事业单位的自备水源地。几十年来因过量开采地下水,加速并导致了局部地质环境恶化,至90年代初期,随着城市的发展,供水矛盾突出,工业、生活用水单凭开采地下水已远远不够。90年代中期,黑河引水工程将地表水送入西安且供水量逐年增多,工业、生活用水矛盾逐步缓解,西安市郊地下水开采量也随之减少。据1999年统计资料,西安市(市区、市郊)总用水量为62 907×10⁴ m³/a,其中地表水为20 635×10⁴ m³/a,占总用水量的32.8%,地下水为42 272×10⁴ m³/a,占总用水量的67.2%,其中工业、农业及生活用水所占总用水量的比例分别为34.53%、16.96%及15.71%。随着地表水引水工程设施(黑河引水工程)的完善,向西安的供水能力可达40 000×10⁴ m³/a,西安的工业、生活用水矛盾在较长时段内可得以解决,西安市区地下水的开采量将有较大的减少。宝鸡、咸阳、渭南是本省发展较快的城市,也是本省的工农业基地,城市人口10万~50万不等,地下水利用量占有较大比例。

2.6.2 存在问题

2.6.2.1 水资源开发利用缺乏地域统筹规划和统一管理

地表水和地下水、上游与下游、城市工业用水与农业灌溉用水等缺乏合理综合规划,使有限的水资源不能得以充分开发利用。例如,西安市城市供水严重不足,供需矛盾十分突出,而市区南部辖县地下水尚有一定开采潜力,但仍大量引用地表水源;灞河上游大量引水,造成目前灞河每年断流时间达113~225天,使西安市城市供水傍灞河水源地补给量大大减少。宝鸡市城市供水不足,而宝鸡峡、冯家山等地表水引水工程未能向宝鸡市引水以缓解城市供水不足,大量地表水被引向下游灌区,形成地下水水位上升,并造成灾害。

2.6.2.2 供水工程的调蓄能力不足,一些灌溉工程老化失修,灌溉效益普遍下降

现有工程对天然径流的调节能力低,缺少骨干蓄水工程,致使丰水季节用水低潮时大量弃水,而枯水季节与用水高潮时因水源不足而缺水,影响工农业生产。如渭北地区泾、洛、渭三大灌区500万亩(1亩=0.067 hm²)灌溉面积完全靠引水措施,径流调节能力差,三条河流的干流缺少蓄水工程,使地表水引用的保证率很低。另外,地下水源的人工调蓄措施未能全面实施,水资源的可利用率不高。

此外,现有一些灌溉工程老化失修,灌溉效益普遍下降。据陕西省政协一份调查报告(1995)表明:宝鸡峡、泾惠渠、交口抽渭等大型灌区的主体和咽喉部位由于老化失修处于病险状态,输水能力不断下降。例如宝鸡峡林家村渠道和98 km塬边渠道,由于修建时标准不高,经过近20年运行,目前已隐患重重,渠首隧洞出口多次被冲毁,塬边渠道有11 km险段和33处新老滑坡体,一旦出险,将直接影响陇海铁路和西宝公路的正常运行,危及几百个村镇和工厂,后果不堪设想。此外,灌区的抽水站和机井,80%超期服役,设备完好率只有50%左右,平均每年报废机井4 000多眼。1994年天气干旱,咸阳市2万多眼机井,在抗旱中能发挥作用的只有1.1万眼。据三原县调查,1994年有876眼机井和80多处抽

水站因年久失修,在抗旱关键时期不能开动。关中灌区改造一期工程进行了5年,虽然取得了较大成效,但由于欠账太多,渠道和重点建筑物不断出险,宝鸡峡在1994年夏灌期间有5条支渠发生了8次决口,灌区内21座抽水站失修事故频繁。由于老化失修,导致灌溉设施面积与有效灌溉面积相差200多万亩,实灌面积与有效灌溉面积相差200多万亩,这两个200多万亩充分反映了水源不足、水利设施老化及配套不全问题的严重性。

2.6.2.3 用水技术和工艺比较落后,节水仍有潜力

区内工业企业大多是有四五十年历史的老企业,设备陈旧、工艺落后,一方面供水不足,一方面存在着用水浪费、水的重复利用率较低的问题。除火电工业水的重复利用率较高(在90%以上)外,其他工业在40%左右,乡镇工业更低,这也是区内工业用水定额比先进地区同类工业用水定额高的主要原因之一。

农田灌溉是用水大户,该地区灌溉历史悠久,但灌区多为老灌区,工程年久失修,渠道衬砌率不足50%,输水损失大,平均渠系利用系数不足0.7,大型灌区灌溉水利用系数平均只有0.53左右。虽然近几年加强了节水措施,灌溉定额有较大幅度降低,但在全国属较高水平,仍有潜力可挖。

生活用水综合定额平均不高,在个别地方、个别部门(特别是自备水源供水、生产和生活用水没有分开计量的企业)还存在着浪费现象。总体用水技术落后,进一步加剧了区内的水资源供需矛盾。

2.6.2.4 水污染严重,加剧了水资源的短缺

关中盆地水污染在城市主要以"三废"造成的污染为主,如西安、宝鸡、咸阳、渭南等城市的河流和地下水已受到"三废"不同程度的污染,主要污染物有酚、铬、汞、氰、氟化物和硝酸盐氮等。河流已受到相当程度的污染,主要污染物为氨氮、耗氧性有机物及挥发性酚等,石油类污染物也不断加重。污染最严重的河流为渭河,有关资料表明,渭河各支流工业区河段全为Ⅳ级、Ⅴ级水质,农村和平原区主要是受灌溉引用的污水、大量施用的农药化肥、距水源较近的粪坑和牲畜粪便等引起的水源污染。目前,全区水质污染的程度和范围有逐年加大的趋势,遭受污染的水质不仅失去了资源的经济功能,加剧了本区水资源不足的供需矛盾,而且造成严重的社会公害。

2.6.2.5 水资源综合开发利用模式与生态环境协调不够,诱发了环境地质问题

农业用水上大量引用地表水进行大水漫灌,在渭北的冯家山、宝鸡峡、洛惠渠、泾惠渠等灌区诱发了一系列环境负效应,如灌区地下水位上升,一些洼地和土壤中出现渍水,致使地下水质恶化、大量农田弃耕、房屋倒塌、路基路面变形和土壤盐渍化等,在一些地方甚至造成人员伤亡,危害严重。以冯家山灌区为例,由于大量引地表水灌溉,地下水利用率偏低,灌溉回归量剧增,地下水采补失调,结果导致地下水水位上升。据实测,1979～1986年的7年间,灌区平均水位上升4.85 m,年平均0.69 m,上升区大于0.5 m的面积达940 km²,占总面积的92%;上升值大于3 m的面积约40 km²,占上升区的42%。其中东部岐山、扶风一些地区上升达13 m,岐山县青化南武毛东井11年间其水位上升28.82 m,年均2.62 m。由于地下水位上升,在岐山县益店、青化和扶风县建和、召公、黄甫、太白等地,一些壕、洼地出现渍水,积水深度2～5 m。全区积水面积1981年为31 hm²,1984年达到207 hm²,1990年为134 hm²,1997年由于干旱等原因虽明水面积有所减小,但仍有12 hm²。若

单产按 4 125 kg/hm² 计,1981～1990 年间,仅积水即少收粮食 467.4 t。与此同时,伴随着地下水位上升,水质恶化,水味变苦,矿化度、硬度、硝酸盐、亚硝酸盐等指标超标,局部地区地下水人畜已不能饮用。据 1997 年 6 月课题组对岐山益店、扶风召公地区 32 个水样检测表明:地下水矿化度一般为 0.5～2 g/L;硬度为 180.95～676 mg/L;硝酸盐含量一般为 12.55～67 mg/L,最大为 137.28 mg/L;亚硝酸盐含量为 0.004～0.08 mg/L。同时因地下水位上升,部分村庄宅基土体含水量达到饱和,强度降低,导致房屋地基失稳变形,引起房屋倒塌,约有 1 340 户被迫搬迁;公路多处因明水浸泡,路基路面变形;台塬地下水位上升,塬边斜坡地带地下水水力坡度增大,导致斜坡稳定性降低,时有滑坡、崩塌发生;有的井灌设施长期闲置,塌陷报废,仅岐山县就有 145 眼。

三门峡水库对渭河下游生态环境影响较大,三门峡水库建成运行后,库尾达潼关,黄河泥沙大量淤积,渭河排泄不畅,河床增高,渭南以下河床已成地上河,河堤临背差 2～3.0 m,最大达到 4.0 m,地下水位抬升,渭黄三角地带已经开始沼泽化,壅水严重,曲流发育,稍有大水即可成灾。

城市存在的地质环境负效应,主要是由于城市供水中大规模集中开采承压水,造成局部或区域承压水位持续下降,出现了地面沉降和地裂缝等灾害,其中西安市的地面沉降和地裂缝已危及城市建筑物的安全,并有进一步发展的趋势。

在流域水资源开发方面,一些地段忽视地表水、地下水的相互转化特点,在上游盲目修建蓄引水工程大量引水,因水资源搬家导致了流域下游河流量及泉流量的减少,潜伏着生态环境恶化的隐患。

第 3 章　水环境同位素及各水体间的关系

关中盆地大气降水、地表水和地下水以及不同类型地下水之间存在着密切联系,地表水和地下水处于相互转化之中。为了揭示各水体间的水力联系,本次研究在关中盆地选择了两条具有代表性的剖面,分别进行了丰水期与枯水期潜水、承压水以及岩溶水的系统取样(见图 3-1)。其中南北向 I—I′剖面横跨山前洪积扇、黄土台塬、冲积平原以及渭河,东西向 Ⅱ—Ⅱ′剖面为岩溶水,基本上跨越了渭北东部岩溶水的补、径、排三个地段。同时在渭南以及潼关分别在丰、枯水期取渭河水样各一次,分析河水中同位素的沿程变化,在户县涝峪谭庙水文站进行了为期一个水文年的雨水同位素采样工作。本章将根据所采集样品的分析结果,在对关中盆地各水体中环境同位素分布特征进行分析的基础上,结合野外调查、地下水动态、数学分析法和水文地质分析原理,对关中盆地各水体间关系进行深入系统的研究,从而为地下水资源评价和水资源合理开发利用奠定基础。

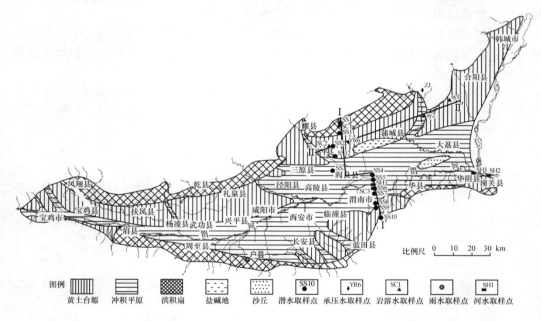

图 3-1　关中盆地水体同位素取样点分布图(2001～2002 年课题组实测)

3.1　大气降水与河水的同位素分布特征

3.1.1　大气降水的同位素分布特征

大气降水主要是指覆盖地球大部分表面的海水以及陆地的地表水、土壤水等经过蒸发、凝聚、降落的气象循环水,它是自然界水循环过程中的一个重要环节,是地下水的主要补给源之一。查明大气降水中同位素分布特征及其影响因素,不仅有助于定性或定量地研究地下水的起源和形成等问题,更有助于揭示"三水"转化关系。国际原子能机构(IAEA)与世界气象组织(WMO)合作于1961年建立了全球大气降水同位素观测网,开始进行长期研究。我国国土资源部水文地质工程地质研究所协同有关单位于1985年7月开始建立了全国降水同位素观测网。本节将根据IAEA/WMO西安站的资料,结合本次课题组所采集样品的分析结果,对关中盆地大气降水的同位素分布特征进行讨论。

3.1.1.1 降水中 δD 与 $\delta^{18}O$ 之间的关系

大气降水过程是连续的瑞利蒸馏过程,是建立在凝聚与蒸汽之间平衡条件下的。因此,由于氢、氧同位素的平衡分馏作用,降水中的 $\delta^{18}O$ 和 δD 之间存在着一种线性关系:$\delta D = a\delta^{18}O + d$,这一规律是由 Friedman(1953)根据芝加哥的一组样品分析首先提出的。1961年 Craig 基于全球淡水同位素资料的统计,首先建立了全球雨水线方程(Global Meteoric Water Line,简称 GMWL):

$$\delta D = 8\delta^{18}O + 10 \tag{3-1-1}$$

Y. Yurtsever 和 J. R. Gat(1981)根据 IAEA/WMO 全球降水同位素资料,对 Craig 全球雨水线进行了修正,提出了更为精确的全球降水 δD 和 $\delta^{18}O$ 之间的线性关系:

$$\delta D = (8.17 \pm 0.06)\delta^{18}O + (10.35 \pm 0.65) \qquad r = 0.997 \tag{3-1-2}$$

1991年,张洪平等人通过对全国大气降水稳定同位素观测台网中20个台站近3年的资料进行了初步分析,总结得出我国大气降水稳定同位素"雨水线"为:

$$\delta D = 7.81\delta^{18}O + 8.16 \qquad r = 0.985 \tag{3-1-3}$$

本文根据 IAEA/WMO 西安站 1985~1993年大气降水氢、氧同位素资料,采用线性回归方法建立了西安地区的雨水线方程为:

$$\delta D = 7.49\delta^{18}O + 6.13 \qquad r = 0.958 \tag{3-1-4}$$

由于西安位于关中盆地中部,因此此方程可以作为关中盆地的雨水线方程。通过比较(图3-1-1)可以发现,此方程与我国大气雨水线方程很接近,与全球大气雨水线也相差

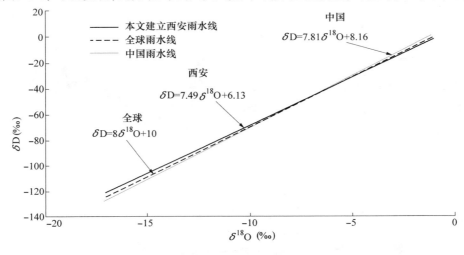

图 3-1-1　雨水线比较图

不大,但由于受盆地气候、水气来源等因素的影响,在斜率与截距上又存在着差距,均略低于式(3-1-1)、式(3-1-3)。这是由于关中盆地地处内陆地区,属干旱、半干旱地区,湿度低、降水量小且蒸发强烈,蒸发量远大于降水量,在雨水下降过程中受到蒸发作用的影响,造成斜率、截距与全球雨水线有所差异。

3.1.1.2 $\delta^{18}O$ 的季节变化

降水中 $\delta^{18}O$ 值常随季节发生周期性变化,一般夏季大,冬季小。根据陕西省地矿局《陕西省现代大气降水氢氧同位素分布规律研究报告》中关中盆地高陵气象站 1986 年 4 月～1987 年 3 月一个水文年的氢、氧同位素分析结果,绘制 $\delta^{18}O$ 随月份的变化曲线(见图 3-1-2),由图 3-1-2 可以看出 $\delta^{18}O$ 的变化与季节有着明显的关系。2 月份降雨中 $\delta^{18}O$ 值较低,随着温度的升高、蒸发量的增大,$\delta^{18}O$ 逐渐升高,其中 5 月份 $\delta^{18}O$ 值达到最高。5～8 月份有小的波动,8 月份之后呈下降趋势,而 9 月份为最低。

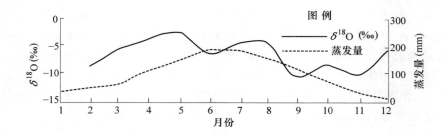

图 3-1-2 **高陵气象站 1986 年 4 月～1987 年 3 月降水 $\delta^{18}O$ 值变化曲线图**(据陕西省地矿局,1988)

从西安站 $\delta^{18}O$ 的多年历时曲线看(图 3-1-3),不同年份 $\delta^{18}O$ 变化有所不同,但是总体上峰值多出现在 5～8 月份,而低值多出现在 9、10 月份。

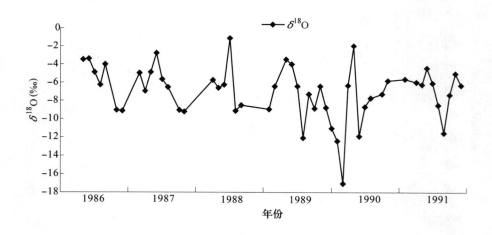

图 3-1-3 **西安站 $\delta^{18}O$ 的多年历时曲线**(数据来自 IAEA/WMO)

3.1.1.3 $\delta^{18}O$ 值与降雨量之间的关系

大气降水的平均同位素组成是空气湿度的函数,因此雨水的平均同位素组成与当地降雨量存在着某种相关关系。根据本次研究所取雨水样的氢氧同位素分析结果绘制$\delta^{18}O$与降雨量的关系图(图 3-1-4)以及 1986～1991 年西安站降雨中 $\delta^{18}O$ 与降雨量的关系图(图 3-1-5)。由两图可以看出,雨水中 $\delta^{18}O$ 与降雨量呈负相关关系,即降雨量越大,$\delta^{18}O$值越低,此结论符合一般规律。

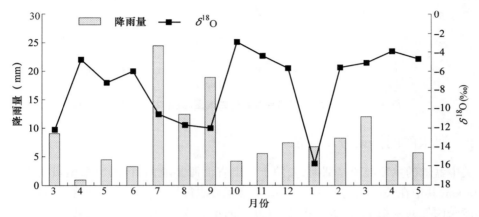

图 3-1-4 关中盆地 2000 年 3 月至 2001 年 5 月雨水 $\delta^{18}O$ 与降雨量关系图

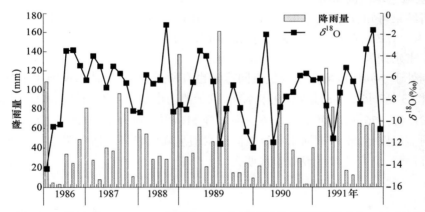

图 3-1-5 西安站 1986～1991 年雨水 $\delta^{18}O$ 与降雨量关系图(数据来自 IAEA/WMO)

3.1.1.4 氚同位素特征

氚作为水分子的一部分直接参与水的循环,它和水的氢氧同位素在相同的条件下经历了同样的演化过程,因而具有与水分子的氢氧同位素同样的分布特点。所不同的是,由于它是放射性同位素,因而还受放射性衰变规律所支配,一旦与源区脱离接触,其含量便随时间推移而减少。

由于本次雨水氚资料较少,因此利用 IAEA 西安站资料,绘制氚值随月份变化的曲线图(图 3-1-6)。曲线图中显示大气降水中的氚浓度具有明显的季节变化特征,最大浓度一般出现在 6～7 月份,最小浓度出现在 11～12 月份。

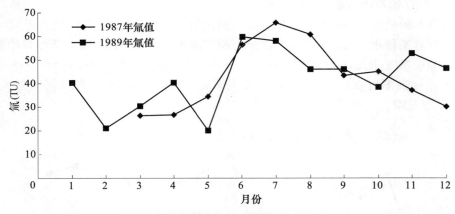

图 3-1-6 西安站氚值随月份变化曲线图(数据来自 IAEA/WMO)

3.1.2 河水的同位素分布特征

关中盆地的主要河流是渭河,发源于甘肃省渭源县境内,自西向东横贯关中盆地,全长 818 km,其中在关中境内为 502.0 km,属常年流水过境河流。本次研究在渭河流经的渭南和潼关两处共采集丰、枯水样 4 件,以分析河水中环境同位素沿程变化。

3.1.2.1 氢氧稳定同位素特征

由分析结果可知,渭河河水的氢氧同位素值在枯、丰水期有所不同。枯水期同位素平均值 $\delta^{18}O$ 为 $-8.1‰$,δD 为 $-57‰$;而丰水期 $\delta^{18}O$ 为 $-9.13‰$,δD 为 $-59.9‰$,反映出枯水期略高于丰水期。

同时期处于不同河段的河水中氢氧同位素也有所差异。丰、枯水期河水 $\delta^{18}O$、δD 沿程变化图(图 3-1-7、图 3-1-8)显示,在丰水期,位于渭南市双王乡罗刘村河水样 $SH_3\delta^{18}O$ 为 $-8.75‰$,δD 为 $-56.4‰$,而潼关高桥乡河水样 $SH_1\delta^{18}O$ 则为 $-9.51‰$,δD 为 $-63.4‰$。说明沿渭河流经路径,丰水期河水的氢氧同位素值呈降低趋势。枯水期也有类似关系,即沿程呈下降趋势,但变化幅度没有丰水期大。

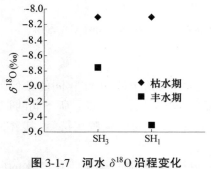

图 3-1-7 河水 $\delta^{18}O$ 沿程变化

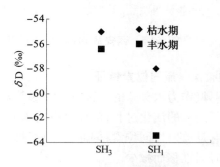

图 3-1-8 河水 δD 沿程变化

3.1.2.2 氚同位素特征

河水中的氚浓度与 $\delta^{18}O$ 与 δD 一样具有时间和空间上的差异。从时间上看,丰水期河水的氚值明显高于枯水期,如SH₁点其丰水期为27.27 TU,而枯水期则为20.15 TU;从空间上看,如位于中游的SH₃点氚值为20.15 TU,而下游的SH₁点氚值则降为0.5 TU,降幅较大。

3.2 地下水的同位素分布特征

本次研究在关中盆地渭河南、北两侧沿地下水流方向从山前洪积扇到河漫滩的取样断面上,分别进行了潜水、承压水与岩溶水的取样(见图3-1),根据取样点的位置以及水位埋深绘制剖面图(如图3-2-1所示)。不同地貌单元、不同地下水类型中同位素分布特征如下。

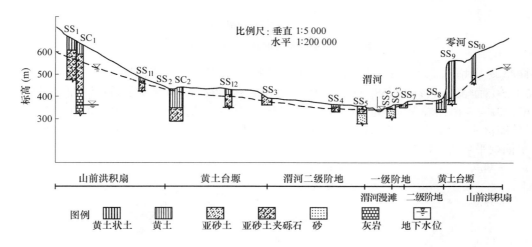

图 3-2-1　关中盆地地下水同位素采样点断面水文地质剖面图

3.2.1 潜水同位素分布特征

由于潜水含水层与包气带直接连通,可通过包气带接受大气降水与地表水的补给,因此与大气圈及地表水圈联系密切,受到气象、水文、包气带岩性结构及地下水埋藏条件等因素的影响,其同位素分布各不相同。

3.2.1.1 氢氧稳定同位素特征

由图3-2-2可以看出,潜水的氢氧稳定同位素分布以渭河为界南北两侧分布规律基本相同,即从山前洪积扇到冲积平原潜水的$\delta^{18}O$值整体上呈现增高趋势,但是枯水期波动较大。以渭河以北地区为例,位于山前洪积扇区的SS₁点,标高为600 m,水位埋深98 m,其$\delta^{18}O$值较低,丰水期为 – 9.13‰。随着地势的降低,地下水位埋深变浅,到冲积平原区$\delta^{18}O$值逐渐升高为 – 8.38‰ ~ – 7.87‰,平均值 – 8.07‰。其中靠近渭河漫滩而位于渭河一级阶地的SS₅点,标高351 m,水位埋深只有12 m,$\delta^{18}O$值最高,达到 – 7.87‰。渭河以南也呈现相同的规律。

同样,绘制δD剖面图(图3-2-3),在渭河南北两侧由山前洪积扇到河漫滩,δD与$\delta^{18}O$

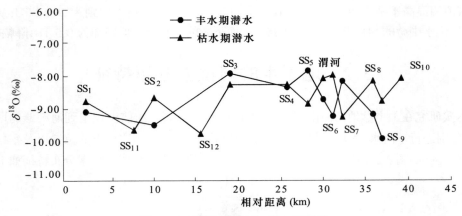

图 3-2-2 关中盆地潜水 $\delta^{18}O$ 剖面图

一样呈现出增高趋势。以渭河以北地区为例,丰水期山前洪积扇区 SS_1 点 δD 值为 $-70.6‰$,而黄土台塬区 SS_2 点 δD 值增大到 $-67.9‰$,冲积平原区的 δD 值范围为 $-63.2‰ \sim -61.5‰$,平均为 $-62.1‰$,增高较为明显。从图 3-2-3 也可以看出,枯水期 δD 值略高于丰水期。在渭河以北,枯水期 δD 值为 $-70‰ \sim -55‰$,平均为 $-61.7‰$,而丰水期则平均为 $-65‰$;渭河以南相同。

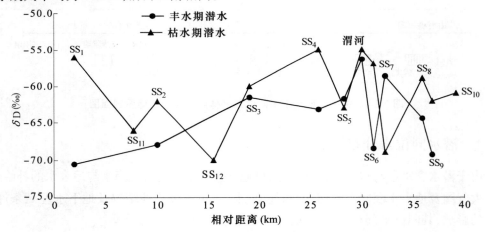

图 3-2-3 关中盆地潜水 δD 剖面图

另外,根据已有白杨水源地资料(黎兴国等,1995),在同一地貌单元上,取样深度不同,其同位素值也有所差异。在取样深度为 3 m 的 $H_{12}*$ 点,$\delta^{18}O$ 值为 $-10.99‰$,δD 值为 $-79.7‰$,而在深度为 35 m 的 H_2* 点,$\delta^{18}O$ 值为 $-9.14‰$,δD 值为 $-71‰$。可见,随着深度的增加,潜水的 $\delta^{18}O$ 与 δD 值都有所增大。这是由于两样的取样时间均为丰水期,此时降雨较多,雨量较大。因 $H_{12}*$ 点水位埋深较浅,故接受的降雨补给量影响大。受到低 δ 值雨水的稀释作用而使其 $\delta^{18}O$ 与 δD 值均低于 H_2* 点。由此表明,埋深越小,受雨的影响越明显,随着深度增加受降雨影响愈来愈弱。

3.2.1.2 氚同位素特征

氚在大气层中形成氚水后遍布于整个大气圈,对现代环境水起着标记作用,因此探明地下水中氚同位素的分布特征对于研究地下水的补给、径流、排泄条件以及探索地下水的成因都有重要意义。由氚的剖面图(图 3-2-4)上可以看出,不同地貌单元氚值差别较大。从山前洪积扇到冲积平原,氚值呈逐渐增高趋势,而丰水期较枯水期增长更为迅速,线形更为陡峭。丰水期渭河以北山前洪积扇区 SS_1 点,地下水位埋深较大达 98 m,氚值较低,仅为 2.07 TU。随着地势的降低,地形逐渐变缓,潜水水位埋深变浅,氚值逐渐升高,到达位于渭河二级阶地前缘水位埋深 12 m 的 SS_5 点,氚值达到最高,为 41.09 TU。渭河以南地区氚值变化随地形与地貌变化更迅速。

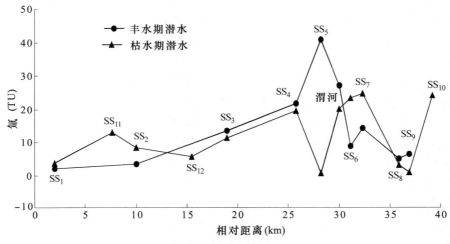

图 3-2-4　关中盆地潜水^{3}H 剖面

3.2.1.3　$\delta^{13}C$ 同位素特征

本次研究对潜水只进行了丰水期 $\delta^{13}C$ 的分析工作,$\delta^{13}C$ 剖面图(图 3-2-5)显示,不同地貌单元上 $\delta^{13}C$ 值不同。渭河以北山前洪积扇 SS_1 点 $\delta^{13}C$ 值为 − 10.9‰,而到了黄土台塬区 $\delta^{13}C$ 值有所降低,渭河冲积平原区 SS_5 点 $\delta^{13}C$ 值最低,仅为 − 14.7‰。总体表现为从山前洪积扇→黄土台塬→渭河冲积平原,$\delta^{13}C$ 值呈现由高到低的变化趋势,但在渭河南岸由于地下水流程短,城镇密集人为污染大,$\delta^{13}C$ 波动较北区大。

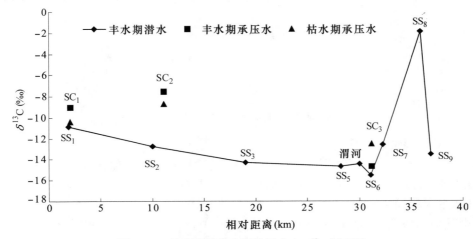

图 3-2-5　关中盆地潜水和承压水中 $\delta^{13}C$ 剖面图

3.2.2　承压水同位素分布特征

限于承压水钻孔较少,仅在渭河以南渭南市双王乡罗刘村承压水孔分别于丰水期与枯水期各取样一件,在渭河以北只于枯水期在富平县施家镇与澄县镇吉各取样一件。通过分析可知,承压水的同位素值与取样时间有着密切的关系。

3.2.2.1　氢氧稳定同位素特征

由分析结果可知,位于罗刘村的 SC$_3$ 样在丰水期 δ^{18}O 值为 $-11.81‰$、δD 为 $-83.7‰$,而枯水期 δ^{18}O 值为 $-11‰$、δD 为 $-75‰$,可以看出枯水期承压水的氢氧同位素值较丰水期有明显的增大。而同一时期位于不同地貌单元上的承压水,其氢氧同位素值也存在着明显的差异。位于冲积平原的 YR$_6$(δ^{18}O $= -9.8‰$,δD $= -72‰$),其氢氧同位素值均高于位于山前洪积扇区的 ZJ 样(δ^{18}O $= -11.2‰$,δD $= -79‰$)。

另外,根据已有白杨水源地资料(黎兴国等,1995),不同深度的承压水 δ^{18}O 与 δD 的值有所不同。对于孔深 95 m 的承压水,H$_{13}$*孔 δ^{18}O 为 $-10.2‰$、δD 为 $-76‰$,而孔深为 180 m 的 H$_6$*样,其 δ^{18}O 为 $-10.7‰$,δD 为 $-78‰$,均有所下降,说明随着深度的增大,氢氧同位素值有降低的趋势。

3.2.2.2　氚同位素特征

从氚剖面图(图 3-2-6)可以看出,氚值的枯、丰水期变化与氢氧同位素相反。在同一点 SC$_3$ 处,丰水期氚值为 6.04 TU,而到了枯水期下降为 2.28 TU,丰水期值明显高于枯水期。而对于同一时期,不同地貌单元上的样品氚值相差较大。枯水期山前洪积扇区的 ZJ 样氚值较高为 13.20 TU,而位于冲积平原区的 YR$_6$ 仅为 3.15 TU,两样氚值的这一特征与其氢氧稳定同位素恰恰相反。

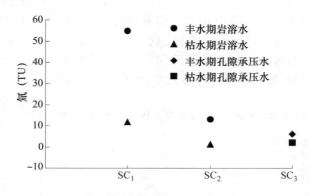

图 3-2-6　承压水、岩溶水丰、枯水期氚含量分布图

3.2.2.3　δ^{13}C 同位素特征

由图 3-2-5 可以看出,对于同一水样点,其枯、丰水期 δ^{13}C 值相差较大,枯水期的 δ^{13}C 值明显大于丰水期值。例如 SC$_3$ 点丰水期值为 $-14.7‰$,而枯水期则升高为 $-12.5‰$,这与承压水的氢氧同位素特征相一致。

同样,取样位置不同而时间相同的样品 δ^{13}C 值也存在着一定的差异,位于冲积平原上的 YR$_6$ 样,其 δ^{13}C 值(12.76 PMC)明显高于位于山前洪积扇区的 ZJ 样(6.14 PMC)。

3.2.3　岩溶水同位素分布特征

为了研究岩溶水中同位素分布特征,本次岩溶水的取样工作分别在渭北岩溶水分布区两个剖面上进行,一条是南北向Ⅰ－Ⅰ′剖面上的SC_1与SC_2点,另一条是东西向Ⅱ－Ⅱ′剖面上的SY_1与SY_2点。其中岩溶水的主要含水层为奥陶系灰岩,埋深较大。

3.2.3.1　氢氧稳定同位素特征

位于Ⅰ－Ⅰ剖面上的岩溶水SC_1与SC_2样在枯、丰水期的变化为枯水期氢氧同位素值均大于丰水期,只是SC_2点增长幅度较大。例如SC_1点丰水期$\delta^{18}O$值为－10.81‰,枯水期则为－10.4‰,增长了0.41‰,而SC_2点枯水期则增长了0.81‰。

对于同一时间不同的地貌单元上取样时间相同的点来讲,其氢氧同位素也存在着一定的变化。根据取样井的剖面图(图3-2-1),位于渭北山前洪积扇区的SC_1点在丰水期$\delta^{18}O$为－10.81‰,沿着地下水的流向,至黄土台塬区SC_2点,其$\delta^{18}O$则下降为－11.51‰,同样,δD值也从－77.4‰下降为－80.1‰。

对于东西向Ⅱ－Ⅱ剖面上同处于枯水期的样品,位于径流区的SY_2样,其$\delta^{18}O$与δD值均高于排泄区的SY_1样,这与Ⅰ－Ⅰ剖面上的SC_1与SC_2样的规律相一致,即沿着岩溶水的径流方向,氢氧稳定同位素呈降低趋势。

3.2.3.2　氚同位素特征

对于取样位置相同而取样时间不同的点,岩溶水的氚同位素变化与其氢氧同位素相反,即丰水期氚值远远高于枯水期。例如SC_1点丰水期氚值为54.72 TU,枯水期则下降为11.72 TU,与丰水期相差了43 TU。取样时间相同,位置不同的点其氚值也存在着较大的差异。如在Ⅰ－Ⅰ剖面上位于山前洪积扇区的SC_1点,其丰水期氚值为54.72 TU,而沿地下水流向至黄土台塬区的SC_2点则为13.11 TU,远小于SC_1点值;枯水期亦然。由此可见,从山前洪积扇到黄土台塬岩溶水的氚同位素呈下降的趋势。

3.2.3.3　$\delta^{13}C$同位素特征

从Ⅰ－Ⅰ剖面的$\delta^{13}C$剖面图(图3-2-5)可以看出,$\delta^{13}C$值随取样时间的变化而变化。在丰水期SC_1点值为－9.0‰,SC_2点值为－7.5‰,而到了枯水期两样的$\delta^{13}C$值均有所下降,分别为－10.4‰与－8.7‰。说明丰水期岩溶水的$\delta^{13}C$值明显高于枯水期,这与氚同位素特征相一致。

另外,在不同的地貌单元上样品的$\delta^{13}C$也显示出一定的规律。位于山前洪积扇区的SC_1点无论在丰水期还是枯水期,$\delta^{13}C$值均低于位于黄土台塬的SC_2点,说明从补给区到径流区,$\delta^{13}C$呈增高趋势。

3.3　水同位素分布特征的影响因素

由于受到多个因素的共同作用,关中盆地各水体中水环境同位素呈现其独特的分布规律,下面就不同水体分别讨论。

3.3.1 雨水同位素分布特征的影响因素

大气降水氢氧同位素组成变化的实质是瑞利蒸馏作用，与水蒸气来源、凝聚温度和下降过程中的蒸发作用有密切关系，但其表现是通过温度效应、季节效应、蒸发效应以及降雨量效应反映出来的，其中降雨量效应与季节效应又是影响关中盆地降雨同位素分布的主要因素。

3.3.1.1 降雨量效应

大气降水中的 δ 值与降雨量之间常常存在着显著的负相关关系，即雨量越大 δ 值越小，称为雨量效应，其原因可能与雨滴降落过程中的蒸发效应与环境水蒸气的交换有关。雨量效应在干旱少雨地区尤为明显，这是因为降雨量与蒸汽剩余量有关，剩余量大则凝聚出的水量加大，不断降水的 δ 值偏低。而降雨量与蒸发量成反相关关系，降雨量大时空气湿度大，水滴在下降过程中的蒸发效应小，因而降水的 δ 值偏小。

对关中盆地降雨 $\delta^{18}O$ 与降雨量之间的相关关系分析表明，$\delta^{18}O$ 与降雨量呈负相关关系，这正是雨量效应的结果。

3.3.1.2 季节效应

地球上任何一个地区的大气降水的同位素组成都存在着季节性变化，即夏季 δ 值高而冬季低，而控制这一变化的主要因素是气温的季节性变化。由于关中盆地位于半干旱地区，四季分明，冬、夏气温相差很大，因此造成大气降水的 $\delta^{18}O$ 值季节变化。在 4、5 月份，盆地温度较高，降雨量小而蒸发量升高，因此降雨中 δ 值较雨季偏大。进入 9、10 月份，降雨次数增多且降雨量大，此时主要受降雨量控制而使 δ 值降低。因此，温度效应和蒸发效应主要表现在枯水期，而降雨量效应则主要表现在丰水期。

3.3.2 河水同位素分布特征的影响因素

由于渭河是以大气降水和地下水为主要补给源的河流，因此其同位素组成既反映了大气降水的特征，具有明显的季节性变化，即枯水期河水 δ 值高于丰水期。同时它又受到渭河支流以及地下水的沿程补给，因此河水还受到混合作用的影响，从而造成沿渭河流经途径同位素值呈下降趋势。

3.3.3 地下水同位素分布特征的影响因素

关中盆地地下水与大气降水有着密切的联系，因此其同位素与大气降水一样受到温度效应、季节效应、降雨量效应等因素的影响，同时还受到蒸发作用的影响。

3.3.3.1 温度效应、高度效应与纬度效应

大气降水的稳定同位素与温度存在着正相关关系，与纬度和高度又成负相关关系，即同位素的组成随纬度的增高而 δ 值降低，随高度的降低 δ 值增大，而同时随着温度的升高 δ 值增大。

关中盆地的潜水普遍存在着从山前洪积扇到河漫滩其氢氧同位素逐渐升高的趋势，这正是受到温度效应、高度效应与纬度效应的影响。在山前洪积扇区，该区位于盆地边缘，温度较盆地中心的河漫滩区低，而地势较高，同位素值表现出低于河漫滩的趋势。渭

河以北的山前洪积扇区 SS_1 点其纬度为 $34°57.3'$，而位于冲积平原的 SS_5 点纬度为 $34°30.5'$，同位素值也随着纬度的降低而有所升高。渭河以南地区由于距离较短，故其纬度效应不如渭河以北地区明显。

3.3.3.2　季节效应

同位素组成均存在着季节性变化，而地下水中的氚值受季节影响则更为显著。对于大部分地下水取样点来说，其丰水期氚值均大于枯水期氚值，这是由于地下水中的氚均来自于大气降水，因此其浓度变化与大气降水氚浓度有着密切的关系。大气降水中的氚含量具有明显的季节变化特征，最大含量一般出现在 6 ~ 7 月份，最小含量出现在 11 ~ 12 月份，这一变化特征与休止层的断开或会聚有关。另外，在夏季，大陆的蒸发起到了把春季氚浓度的最大值延伸到夏季的作用。本次样品采集分两期，丰水期为 2000 年 9 月，在此之前休止层断开，平流层中的氚向对流层传播，并随降雨渗入地下，从而造成地下水中氚值的增高；到了枯水期，休止层会聚在一起形成帷幕，降雨中氚含量较丰水期少，因此地下水中氚值较丰水期低。

3.3.3.3　降雨量效应

由于大气降水的同位素与雨量存在着负相关性，因此雨量对地下水的同位素值具有一定的影响。

对浅层地下水来说，由于丰水期降雨量大，雨水迅速入渗到潜水含水层，使得其同位素值降低，而由于潜水含水层与浅层承压水含水层之间没有完整的隔水层，使得潜水与承压水之间联系密切，潜水越流补给承压水，从而也造成了承压水的同位素值有所降低。而在枯水期，由于蒸发强烈，潜水受到蒸发作用的影响，同位素值有所增大；同样，承压水与潜水之间的水力联系也造成了承压水同位素值的升高，只是由于承压水埋深较大，其同位素值的增高幅度较潜水小。

岩溶水主要来源于裸露区的降雨补给，因此雨量的大小对其同位素组成也产生一定的影响。在丰水期雨量较大，降雨中的 δ 值较低，因此岩溶水的 δ 值也较低。对于枯水期来说，由于蒸发作用使得地下水中富集重同位素，故其 δ 值高于丰水期。

3.4　各水体间的关系

环境同位素作为天然示踪剂，"标记"着天然水并参与地下水的形成过程，可直接提供有关地下水形成和运动的信息，因此被广泛地应用于研究自然界水循环和地下水的运动规律。

3.4.1　雨水与河水之间的关系

将丰水期与枯水期河水取样点标于雨水 $\delta D \sim \delta^{18}O$ 关系图上(图 3-4-1)。从图上可以看出，两期河水样均位于地区雨水线附近，表明河水与大气降水有着密切的联系，雨水是河水的主要补给来源。在关系图上丰水期河水样点多位于雨水线左上方，而枯水期则多位于雨水线右下方，这与丰水期 δD 与 $\delta^{18}O$ 较低而枯水期较高恰恰相反，说明河水除受到降雨的补给之外，与其他水体之间也存在着一定的联系。

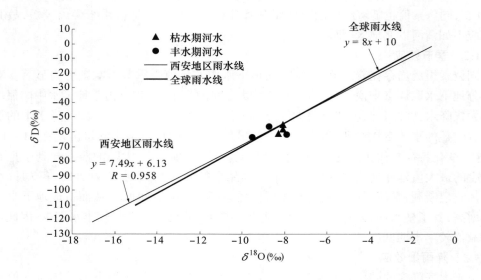

图 3-4-1 河水 $\delta D \sim \delta^{18}O$ 关系图

3.4.2 雨水与地下水之间的关系

同样绘制地下水的 $\delta D \sim \delta^{18}O$ 关系图(图 3-4-2、图 3-4-3)。图中地下水各点均位于地区雨水线两侧,表明区内地下水主要来自大气降水补给。由于丰水期降雨较大,受雨量效应的影响,地下水同位素值较低,因此各点多位于雨水线下方。而枯水期由于降水较少,蒸发作用强烈,使得不同埋深的各点位于雨水线两侧。此外,大多数潜水均位于关中盆地雨水线的右侧,说明潜水还受到一定的蒸发作用的影响。

对于岩溶水,由于丰水期雨水补给量较大,因此其点多位于雨水线上,而枯水期雨水补给量较少,补给路径较长,受到一定的蒸发作用影响,使其偏离雨水线而位于上方。潜水的补给来源中降水占的比重较大,在不同地貌单元上由于其埋深与岩性不同,因此受到降雨的补给量也不同。位于洪积扇与黄土台塬区的潜水,埋深较大,包气带岩性为黄土及黄土状土,因此降水入渗量较少,其点多位于雨水线下方。位于冲积平原区的潜水,埋深较小,包气带多为亚砂土夹砂,降雨入渗迅速,补给量大,因此点多位于雨水线上。另外,由于丰水期降雨较多、雨量较大,受雨量效应的影响,潜水的同位素值较低,多位于雨水线下方。而枯水期降水少,受蒸发作用影响,使得不同埋深的各点位于雨水线两侧。

承压水由于埋深较大,且上有隔水顶板,因此受雨水的直接补给较少,且丰、枯水期承压水点多位于潜水的左下方,并分布在当地雨水线的下方,反映出其补给高程较大,补给途径较远,或者是气候相对较冷的地质历史时期补给的。

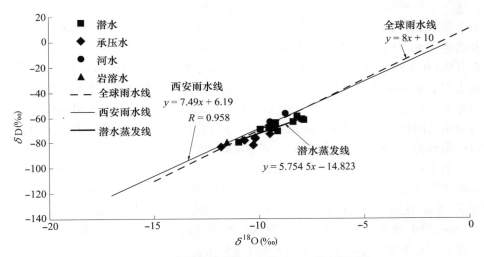

图 3-4-2　关中盆地水体丰水期 $\delta D \sim \delta^{18}O$ 关系图

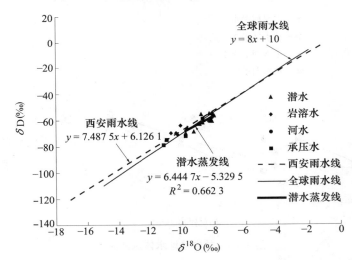

图 3-4-3　关中盆地水体枯水期 $\delta D \sim \delta^{18}O$ 关系图

3.4.3　河水与地下水之间的关系

3.4.3.1　河水与地下水转化关系

纳入关中盆地各河流的河水与地下水有密切的水力联系,相互转化频繁。根据地质地貌、地下水动态和水化学及同位素分析表明,不同地段河水与地下水的转化关系大致如下:

(1)支流在上游河水补给地下水,下游入渭处地下水补给河水。

(2)干流渭河受傍河开采以及三门峡水库蓄水影响,河水与地下水关系比较复杂。根据野外调查,目前渭河与地下水关系大致存在着三种关系:①宝鸡—武功段除傍河水源地河水补给地下水外,大部分地段基本仍保持地下水补给河水。河床岩性结构以卵石、砾砂为主。地下水位埋深近河地带小于 3 m,远河地带 3~5 m。②武功—渭南段丰水期河水补给地下水,枯水期河水又接受地下水补给,个别地段一侧地下水补给河流,而另一侧河流又补给地下水,但水源地附近河水补给地下水。从同位素氚值剖面上(如图 3-4-4 所示)也可以看出,在丰水期渭河河水 SH_3 点的氚值均高于渭河两岸的潜水氚值((SS_5)除外),而在枯水期潜水的氚值则高于河水,说明在丰水期存在着河水对地下水的补给,而到枯水期则为地下水补给河水。对承压水 SC_3 点来说,其氢氧同位素值与河水相差较大,说明承压水与河水之间没有直接的水力联系。武功—渭南段河床结构比较复杂,其中武功—咸阳段以中粗砂为主,含少量砾砂;咸阳—临潼段以中细砂为主;临潼—渭南段以粉细砂、粉土为主。地下水位埋深武功—临潼段在近河区小于 3 m,远河区 3~5 m,临潼—渭南段地下水位埋深在 3~5 m。③渭南—潼关段,受三门峡水库蓄水影响,渭河已成为地上悬河,临背差 3~5 m,且河床岩性以粉细砂、粉砂、粉土、淤泥为主,据现场揭露河傍地下水位埋深在 3~5m 之间,河水与地下水关系已由水库修建前地下水补给河水演变为河水补给地下水。黄河与地下水关系基本上是地下水补给河水。

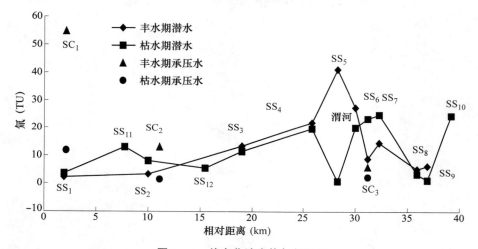

图 3-4-4 关中盆地水体氚剖面图

3.4.3.2 河水对地下水影响宽度与响应时间分析

1)河水对地下水影响宽度

为了分析河水对地下水影响范围,现以西安渭河草滩大桥以西沿河 15 km 范围内不同地貌单元上 19 个潜水动态观测孔的水位资料为例,运用 FUZZY ISODATA 识别技术,来分析河流对地下水的影响宽度。分析原理如下:尽管地下水动态形成的地质、水文地质环境及影响因素是错综复杂的,但最终总是表现为地下水位随时间变化这一自然过程。据此,可利用动态长观孔在时轴上的水位信息对动态进行分类,从而剖析地下水动态的形成因素,探索不同类型动态形成的水文地质条件和影响因素的差异。

设研究区有 n 个动态观测孔,用 X 表示其集合:

$$X = \{x_1, x_2, \cdots, x_n\}$$

其中,$x_i = \{x_{i1}, x_{i2}, \cdots, x_{is}\}$ 为第 i 个观测孔由 s 个动态组成的向量。通过数据规格化使 $x_{ij}(i = 1, 2, \cdots; j = 1, 2, \cdots, s)$ 只取 $[0, 1]$ 上的值。

对集合 X 进行分类,设能分成 C 类。用分划矩阵 $U = \{u_{ij}\}_{c \times n}$ 来表示。

满足 i) $u_{ij} \in [0,1]$, u_{ij} 表示 x_j 从属于第 i 类的从属度,$\forall_{ij}$;

ii) $\sum\limits_{i=1}^{c} u_{ij} = 1,\qquad \forall_j$;

iii) $\sum\limits_{j=1}^{c} u_{ij} > 0,\qquad \forall_i$。

于是每一个符合 i)、ii)、iii) 的矩阵 U 对应着一种 C 类 FUZZY 划分。所有 FUZZY 划分矩阵构成了 FUZZY 划分空间。

$$M_{fc} \leqslant \{ U \mid U_{ij} \in [0,1], \forall_{ij}; \sum\limits_{i=1}^{c} u_{ij} = 1, \sum\limits_{j=1}^{c} u_{ij} > 0, \forall_i \}$$

选取如下目标函数作为分类衡量标准

$$J_m[u,v] = \min \sum\limits_{j=1}^{n} \sum\limits_{i=1}^{c} (u_{ij})^m \parallel X_j - V_i \parallel^2 \qquad (3\text{-}4\text{-}1)$$
$$(m > 1)$$

式中:$U \in M_{fc}$;$V_i = (V_{i1}, V_{i2}, \cdots, V_{is})$,$i = 1,2,\cdots,c$,$V_i$ 是第 i 类的聚类中心;m 为大于 1 的参数。

$$\parallel X_j - V_i \parallel = (\sum\limits_{k=1}^{S} \mid X_{ik} - V_{ik} \mid^p)^{1/p} \qquad 1 < p < \infty$$

若 $p = 2$ 时变为欧式距离,即

$$\parallel X_j - V_i \parallel = \sqrt{\sum\limits_{k=1}^{S} (X_{ik} - V_{ik})^2} \qquad (3\text{-}4\text{-}2)$$

当 $m > 1$ 时,可采用下式寻找一个划分 U 和聚类中心 $V_i (i = 1,2,\cdots,c)$,使 J_m 达到最小:

$$U_{ij} = \left[\dfrac{1}{\sum\limits_{k=1}^{c} \left(\dfrac{\parallel X_j - V_i \parallel}{\parallel X_j - V_k \parallel} \right)^{\frac{2}{m-1}}} \right] \forall_{ij} \qquad (3\text{-}4\text{-}3)$$

$$i = 1,2,\cdots,c \qquad\qquad j = 1,2,\cdots,n$$

其中 V_i 可由式(3-4-4)求得

$$V_i = \dfrac{\sum\limits_{j=1}^{n} (u_{ij})^m x_i}{\sum\limits_{j=1}^{n} (u_{ij})^m} \qquad (3\text{-}4\text{-}4)$$

这里

$$V_i = (V_{i1}, V_{i2}, \cdots, V_{is}), i = 1,2,\cdots,c$$
$$x_j = (x_{j1}, x_{j2}, \cdots, x_{js}), j = 1,2,\cdots,n$$

具体计算步骤如下:

(1)通过研究水文地质条件确定分类数 C;

(2)给出具有软分划矩阵特性的初始分划矩阵 U_0;

(3)用式(3-4-4)计算 $V_i(i = 1,2,\cdots,c)$;

(4)用式(3-4-3)计算 U;

(5)若 $\max[\mid u_{ij} - u_{ij}^0 \mid < \varepsilon](\varepsilon > 0)$,则 V 和 U 即为所求,否则回到(3),重复同样运算,直到满足给定的精度 ε 要求为止。

得到 U 后,可通过 $u_{i_0 j} = \max\limits_{1 \leq i \leq c} [u_{ij}]$ 使 FUZZY 划分清晰化,则 x_i 属于第 i_0 类。

运用上述原理分析,可将上述的 19 个潜水动态观测孔划分为强水文影响带、中等水文影响带、弱水文影响带和非水文影响带(如图 3-4-5 所示)。强水文影响带位于一级阶地的前缘一带,距离河流 0.5~1 km,该带内地下水位月变幅差分曲线及动态观测孔历时曲线与河水位月变幅差分和历时曲线有着密切的同步关系(如图 3-4-6 所示);中等水文影响带可达到一级阶地中部,距河流 1~1.5 km 之间;弱水文影响带基本上位于一级阶地中部至二级阶地前缘一带,一般在距河流 1.5~3 km 范围内,非水文影响带大于 3 km。

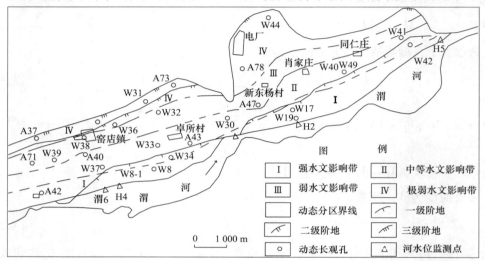

图 3-4-5 西安草滩大桥以西渭河北岸地下水动态分区图

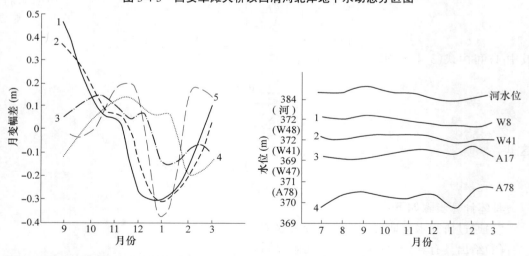

1—河水位月幅差分曲线;2—强水文影响带月幅差分曲线;
3—中等水文影响带月幅差分曲线;4—弱水文影响带月幅差分曲线;5—非水文影响带月幅差分曲线

1—强水文影响带;2—中等水文影响带;
3—弱水文影响带;4—非水文影响带

图 3-4-6 各类典型观测孔与河水位历时曲线及月变幅差分曲线

汪东云(1981)应用水化学成分分析方法,确定出渭河岸边河水补给宽度为 1~3 km,淡化带宽度大致相同,小支流淡化带一般为 0.5~1 km。

综上所述,基本上可以确定渭河对两岸地下水补给宽度一般在 1~3 km 之内。小支流影响带一般小于 1 km。

2)河水对地下水响应时间分析

为分析渭河水对地下水补给响应时间,现依据渭河电厂傍河水源地地下水位和河水位动态观测资料,利用相似分析法分析河水对地下水响应时间。其原理如下。

设 $X(m,n)$ 表示一组动态的采样,其形式为

$$X(m,n) = \begin{pmatrix} x_{11}, x_{12}, \ldots, x_{1n} \\ \vdots \quad\quad\quad \vdots \\ x_{m1}, x_{m2}, \ldots, x_{mn} \end{pmatrix} \tag{3-4-5}$$

式中　m——动态的数,称为"组容量";

　　　n——样本容量;

　　　x_{ij}——第 i 条动态在第 j 时刻的采样值。

假设采样都是等间距的,称 $X(m,n)$ 为动态矩阵。

对动态矩阵进行标准化后,设标准化的矩阵为 $\tilde{X}(m,n)$,则称下式为第 i 条和第 k 条两条动态相似程度的定量化指标:

$$r_{ik} = \frac{1}{n} \sum_{j=1}^{n} \tilde{x}_{ij} \cdot \tilde{x}_{kj} \tag{3-4-6}$$

就一般情况而论,以 $\tilde{x}(n)$ 和 $\tilde{y}(n)$ 表示两条标准化后的动态离散信号,$n = 1, 2, \cdots, N$,仿照式(2)做统计量

$$r_{\tilde{x}, \tilde{y}}(\tau) = \frac{1}{N-\tau} \sum_{n=1}^{N-t} \tilde{x}_{in} \cdot \tilde{x}_{n} \tag{3-4-7}$$

式中,τ 为左移的采样间隔数目,当给它一个 τ 值就得出一个相关系数,做相关系数图,相关系数最大的点对应的 τ 值即为移动时段数,由此可算出滞后的时间。现以垂直渭河三个潜水动态孔观测 W_8、W_{34} 和 W_{32} 与渭河水位动态资料为例,进行渭河对地下水响应时间分析。其中 W_8 位于渭河高漫滩前缘,距河堤 120 m;W_{34} 处于漫滩后缘,距河堤 400 m;W_{32} 孔位于一级阶地后缘,距河堤 2 000 m。通过相关分析,做河水位与各个孔的相关系数图(图 3-4-7),得出 W_8 滞后河流洪峰 5 天,W_{34} 滞后河流洪峰 40 天,W_{32} 滞后 110 天左右。

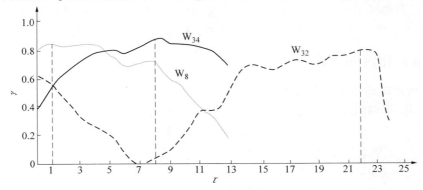

图 3-4-7　渭河水位变化与地下水位变化相关关系图

一般来讲,河流脉冲式补给地下水响应时间,与地下水位埋深、包气带岩性和河流流量等密切相关。例如秦岭山前涝河洪积扇,通过笔者野外动态观测发现,地下水位动态相对于涝河补给量的脉冲式输入有约 8 天滞后。

3.4.4 地下水之间的关系

本区地下水类型主要包括潜水、承压水以及岩溶水,本节根据采集样品的分析结果,并结合白杨水源地潜水、浅层承压水、中层承压水以及深层承压水 4 个含水岩组的同位素取样资料,重点分析地下水之间的相互关系。

3.4.4.1 岩溶水与第四纪潜水

岩溶水取样点分别为位于渭河以北山前洪积扇的 SC_1 点与黄土台塬区的 SC_2 点,两样点地下水位埋深较大。为了便于比较,在同一位置同时还取潜水样 SS_1 与 SS_2。

从 δD、$\delta^{18}O$ 分析结果可以看出,岩溶水与第四纪潜水的氢氧同位素值相差较大,无论在丰水期还是枯水期,岩溶水 SC_1 与 SC_2 的氢氧同位素值均小于同期潜水的 SS_1 与 SS_2 值,在丰水期尤为明显。另外根据氚值剖面图(图 3-4-4),岩溶水 SC_1 点在丰水期氚值远远高于潜水 SS_1 点,SC_2 点也略高于潜水 SS_2 点,而枯水期岩溶水与潜水氚值相差较小。根据以上分析可以看出,该区岩溶水与潜水之间水力联系较弱,岩溶水主要来源于山前裸露区的降雨补给。补给区距离 SC_2 点位置较远,而位于山前洪积扇区的 SC_1 点由于距离补给源较近,故其同位素值均高于下游的 SC_2 点。

3.4.4.2 潜水与承压水

渭南附近承压水根据其埋深可划分为三种类型:深度为 30~90 m 的浅层承压水,90~180 m 的中层承压水,180~300 m 的深层承压水。本次承压水样与潜水样采自渭河南岸河漫滩后缘,承压水 SC_3 埋深 45 m,属浅层承压水。

从 SC_3 的氚值分析结果可以看出,在丰水期该点与潜水 SS_6 点氚值相差不大,仅为 2.94 TU,这是由于丰水期潜水受到的降雨补给量大,潜水水位上升,潜水与承压水之间水头差增大,造成潜水对承压水产生越流补给,表明在丰水期潜水与浅层承压水之间存在着水力联系。而到了枯水期降水补给量减小,使得潜水水位下降,潜水与承压水之间的水头差减小,两点氚值相差较大,SC_3 点接近本底值,表明在枯水期潜水与浅层承压水之间水力联系较弱,承压水补给主要来源于侧向补给。

同时根据白杨水源地的资料,潜水含氚量最高,浅层承压水氚值较低,而 $\delta^{18}O$ 值与中、深层承压水接近,说明浅层承压水可能受到中、深层承压水的顶托越流补给。

3.4.5 混合比例的计算

3.4.5.1 河水与地下水的混合比例

两种不同类型的地下水的混合比例可以通过下式求出:

$$\delta_{sample} = X\delta_A + (1 - X)\delta_B \qquad (3\text{-}4\text{-}8)$$

式中　X——A 型水与 B 型水的混合比例;

　　　δ_{sample}——混合后样品的同位素 δD、$\delta^{18}O$ 值;

　　　δ_A——A 型水的同位素 δD、$\delta^{18}O$ 值;

δ_B——B 型水的同位素 δD、$\delta^{18}O$ 值。

根据河水与潜水相互关系研究结果,在丰水期河水主要补给地下水,因此以 SS_5 与 SS_6 点为例计算潜水与地表水的混合比例。

SS_5:丰水期渭河以北潜水的 $\delta D \sim \delta^{18}O$ 方程为:$\delta D = 4.99\delta^{18}O - 22.21$($r = 0.90$),该方程与西安雨水线方程 $\delta D = 7.49\delta^{18}O + 6.13$ 的交点作为潜水的混合起点,其值为:$\delta^{18}O = -11.32‰$,$\delta D = -78.66‰$;

河水同位素值 δ_A 为:$\delta^{18}O = -8.75‰$,$\delta D = -56.4‰$;

SS_5 点的同位素值 δ_{sample} 为:$\delta^{18}O = -7.87‰$;$\delta D = -61.7‰$。

则由式(3-4-8)可得:$X_1 = 134.24\%$,$X_2 = 76.19\%$。由于 X_1 值不合理,予以舍去。

因此,河水对渭河以北 SS_5 点的补给比例为 $X = 76.19\%$,而上游潜水的侧向补给比例约占 23.81%。

SS_6:丰水期渭河以南潜水的 $\delta D \sim \delta^{18}O$ 方程为:$\delta D = 6.34\delta^{18}O - 7.19$($r = 0.93$),该方程与西安雨水线方程 $\delta D = 7.49\delta^{18}O + 6.13$ 的交点 δ_B 作为潜水的混合起点,其值为:$\delta^{18}O = -11.44‰$,$\delta D = -79.56‰$;

河水同位素值 δ_A 为:$\delta^{18}O = -8.75‰$,$\delta D = -56.4‰$;

SS_6 点的同位素值 δ_{sample} 为:$\delta^{18}O = -9.25‰$;$\delta D = -68.5‰$。

则由式(3-4-8)可得:$X_1 = 81.41\%$,$X_2 = 47.75\%$。

因此,河水对渭河以南 SS_6 点的补给比例为 $X = (X_1 + X_2)/2 = 64.58\%$,而潜水的侧向补给比例约占 35.42%。

通过以上计算可以得出,在丰水期河水对潜水的补给比例约为 70%。

3.4.5.2 潜水与浅层承压水的混合比例

根据前面潜水与浅层承压水关系的讨论可以看出,在丰水期潜水 SS_6 对浅层承压水 SC_3 存在着一定的越流补给,下面计算潜水对浅层承压水的补给量。

SC_3:承压水 δ_{sample} 为:$\delta^{18}O = -11.81‰$,$\delta D = -83.7‰$;

潜水 SS_6 的 δ_A 为:$\delta^{18}O = -9.25‰$,$\delta D = -68.5‰$;

承压水方程:$\delta D = 4.84\delta^{18}O - 26.45$;

此方程与雨水线的交点 $\delta^{18}O = -12.31‰$,$\delta D = -86.05‰$;

由公式可得:$X_1 = 16.34\%$,$X_2 = 13.39\%$。

因此,潜水在丰水期对浅层承压水的补给比例约占 $X = (X_1 + X_2)/2 = 14.87\%$。

3.5 地下水氚年龄计算

环境同位素氚作为氢的放射性同位素,半衰期为 12.43 年。自然界与人类活动产生的氚在高空生成后,很快同大气中的氧原子化合成含氚水分子(HTO),成为大气水的组成部分,通过降雨参与水文循环。地下水的氚含量一般情况下仅受衰变规律的影响,而不发生与岩石介质的交换,因此所有现代循环水都受到了氚的标记,从而成为研究现代渗入起源地下水的理想示踪剂。

3.5.1 经验法

用经验法估算地下水年龄,通常是根据地下水是否受到了核爆氚的标记,将地下水的形成时间分为核试验前与核试验后两个阶段。由于天然情况下大气降水的氚浓度为 10 TU,1953 年以前降雨入渗形成的地下水到本次取样时间,按照衰变原理其氚浓度则应小于 0.7 TU。因此,若样品的氚浓度小于此值,则其年龄一般认为大于 48 年;若地下水氚浓度大于 0.7 TU,则认为其年龄小于 48 年,即为核爆试验之后形成的。对此类地下水,Ian Clark 与 Peter Pritz 对其进行了进一步划分:

< 0.7 TU——1953 年以前补给的,其年龄大于 48 年;

0.7 ~ 4 TU——1953 年以前的补给水与近代补给水的混合;

5 ~ 15 TU——现代水(小于 5 ~ 10a,即 1953 年后 5 ~ 10a);

15 ~ 30 TU——少部分水为 20 世纪 60 ~ 70 年代补给;

> 30 TU——相当一部分为 20 世纪 60 ~ 70 年代补给;

> 50 TU——主要在 20 世纪 60 ~ 70 年代补给。

关中盆地地下水样品氚值差别较大。以丰水期为例,根据经验法对地下水氚年龄进行估计,可初步估算出研究区地下水多为核爆以来补给形成的,且大部分为现代水,多为 20 世纪 50 ~ 60 年代补给,有少部分地下水为 20 世纪 60 ~ 70 年代补给。

由于经验法所得出的地下水年龄只是一个大致区间,因此只可作为参考。

3.5.2 同位素数学模型法

环境同位素氚进行地下水年龄的计算在国内外得到了广泛的应用并取得了较好的效果,而采用此方法的关键是描述地下水流系统的计算模型是否合理。常用的地下水系统同位素数学物理模型主要有活塞流模型(PFM)、指数模型(EM)、指数—活塞流组合模型(EPM)、弥散模型(DM)与年轻水混入模型(王恒纯,1991)。

关中盆地地下水系统主要来自于降雨入渗、灌溉回归水、河水以及侧向径流补给。以渭河为界,南北两侧的地下水在由山前洪积扇向冲积平原的径流过程中不断地与当地降雨的入渗水及灌区回归水混合,同时还受到上游水体的侧向补给。因此,此次计算选用指数模型与指数—活塞流组合模型进行对比,进而得出较为合理的地下水年龄。

3.5.2.1 基本概念

1)地下水系统的周转时间

地下水系统的周转时间 T:表示在地下水排泄量(Q)作用下,地下水系统储存流动水体积(V_m)被全部排出的时间。表达式为:

定义 1: $$T = \frac{V_m}{Q} \qquad \text{其中} \quad Q = Kl\omega$$

式中　T——地下水系统周转时间,a;

　　　K——渗透系数,m/d;

　　　V_m——系统中流动水的体积,m³;

　　　I——水力坡度。

ω——过水断面面积，m^2。

定义 2：
$$T = \frac{H_m}{R}$$

式中　H_m——系统中流动水的平均高度，m；

　　　R——补给速度，m/s。

定义 3：
$$T = \frac{L}{v}$$

式中　L——沿流线上测定的水流长度，m；

　　　v——地下水的平均流速，m/s，$v = \frac{Q}{n_m \omega}$；

　　　n_m——孔隙度。

2）年龄分配函数 $E(\tau)$ 或传输时间分布

$E(\tau)$ 是描述系统中各种年龄（τ）水分布状况的函数，或表示某一年龄水在系统中所占的份额。$E(\tau)$ 是表征系统中水流混合特征的数学函数，它是一个累积函数：

$$\int_0^\infty E(\tau)\mathrm{d}\tau = 1$$

3）地下水平均传输时间或平均年龄 τ_ω

按 $E(\tau)$ 定义得

$$\tau_\omega = \int_0^\infty \tau E(\tau)\mathrm{d}\tau = T$$

该式表明流出系统的地下水平均年龄总是等于系统的周转时间。

4）示踪剂平均传输时间或平均滞留时间 τ_m

$$\tau_m = \frac{\int_0^\infty \tau C_I(\tau)\mathrm{d}\tau}{\int_0^\infty C_I(\tau)\mathrm{d}\tau}$$

式中　$C_I(\tau)$——t 时刻在观测点测得的示踪剂浓度。

5）示踪剂年龄分配函数或传输时间分布 $h(\tau)$

表达式为：

$$h(\tau) = \frac{C_I(\tau)}{\int_0^\infty C_I(\tau)\mathrm{d}\tau} \qquad 或\ h(\tau) = \frac{C_I(\tau)Q}{M}$$

式中　M——示踪剂质量，$M = Q\int_0^\infty C_I(\tau)\mathrm{d}\tau$。

在实际中，地下水在流动过程中要产生弥散作用和混合作用，示踪剂浓度在时间和空间上的分布常数常是不均一的，即地下水平均传输时间和平均年龄（τ_ω）≠示踪剂平均传输时间或平均滞留时间（τ_m）。因此，对于地下水流动过程的示踪剂浓度需用不同浓度概念。

对于理想示踪剂，就地下水中的环境放射性同位素（尤其是氚），一般不会因离子交换和吸附作用而被固定在含水层中，它们在地下水系统中的动力行为与水相同。故在此情况下 $\tau_\omega = \tau_m$，并可认为 $E(\tau) = h(\tau)$，即将它们统称为年龄分配函数或系统响应函数，也称权函数。

3.5.2.2 同位素数学模型

1)基本数学模型

当地下水系统中氚同位素的传输关系符合线性规则,并将整个系统概化为线性的集中参数系统时,地下水系统中氚同位素的输出函数可以用卷积进行计算。其数学物理模型如下:

$$Q(t)C(t) = \int_0^\infty Q_0(t-\tau)C_0(t-\tau)f(\tau)e^{-\lambda\tau}\mathrm{d}\tau \tag{3-5-1}$$

式中　　t——取样时间;

　　　　$C(t)$——氚值输出函数;

　　　　$C_0(t-\tau)$——氚值输入函数,可近似用当地降水氚浓度历年变化值代替;

　　　　$f(\tau)$——氚在含水体内滞留时间的分配函数;

　　　　τ——水在系统内的滞留时间;

　　　　$e^{-\lambda\tau}$——氚衰变因子,$\lambda = 0.055\ 764$;

　　　　$Q(t)$——输出水量(排泄量);

　　　　$Q_0(t-\tau)$——输入水量(补给量)。

2)全混模型

全混模型是假定地下水系统中不同年龄水在任何时刻都达到了均匀混合,任一时刻输出的氚浓度等于该时刻系统中地下水的平均氚浓度。其数学表达式为:

$$\begin{cases} C(t) = \int_0^\infty C_0(t-\tau)f(\tau)e^{-\lambda\tau}\mathrm{d}\tau \\ f(\tau) = \dfrac{1}{\tau_m}e^{-\frac{\tau}{\tau_m}} \end{cases} \tag{3-5-2}$$

式中　　τ_m——水在系统中的平均滞留时间;

　　　　其他各参数物理含义均与式(3-5-1)相同。

3)指数—活塞流组合模型

指数—活塞流组合模型适用于地下水系统,由指数型和活塞流型两部分联合组成。其数学表达式为:

$$\begin{cases} C(t) = \dfrac{1}{Q(t)}\int_0^\infty \sum_{i=1}^m \alpha_i s_i C_{0i}(t-\tau)P_i(t-\tau)e^{-\lambda\tau}f(\tau)\mathrm{d}\tau \\ f(\tau) = \begin{cases} \dfrac{\eta}{\tau_m}e^{-\frac{\eta}{\tau_m}\tau+\eta-1} & \tau \geqslant \tau_m(1-\dfrac{1}{\eta}) \\ 0 & \tau < \tau_m(1-\dfrac{1}{\eta}) \end{cases} \end{cases} \tag{3-5-3}$$

式中　　$Q(t)$——开采量,$\mathrm{m^3/a}$;

　　　　α_i——降水入渗系数,$i = 1,\cdots,m$;

　　　　s_i——降水入渗分区面积,$\mathrm{km^2}$;

　　　　m——补给地下水系统的输入项;

　　　　η——地下水系统中储存水总体积与全混型水体积之比;

　　　　$P_i(t-\tau)$——年平均降水量,m;

　　　　其他参数物理含义与式(3-5-1)相同。

3.5.3 大气降水氚浓度的恢复

作为地下水系统输入信号的历年大气降水氚浓度资料,是氚法测年的基础。为查明大气降水氚浓度的时间和空间分布规律,IAEA 在世界各地建立了观测站,而在我国(除香港外),广大地区缺少 1953 年以来的系统观测资料。因此,恢复关中盆地这段时间的降水氚浓度是一项重要的课题。由于西安地处关中盆地中部,具有一定的代表性,因此将西安作为氚浓度恢复的主要地区。

3.5.3.1 插值法

根据北半球降水氚的对数值与所在纬度呈正比关系($\lg T \propto L$),利用 1969 ~ 1976 年苏联伊尔库茨克和香港的降水氚值(见表 3-5-1),按 $\lg T \propto L$ 插值可获得西安地区同期降水氚值。插值公式为:

$$\lg C_{西} = \lg C_{香} + \frac{\lg C_{伊} - \lg C_{香}}{X_{伊} - X_{香}}(X_{西} - X_{香}) \tag{3-5-4}$$

式中　C——降水氚值;

　　　X——测点纬度。

表 3-5-1　1969 ~ 1976 年西安氚插值结果

年份	香港 $X = 22.33°$	伊尔库茨克 $X = 52.38°$	西安 $X = 34.27°$ 对数插值	西安 $X = 34.27°$ 直线插值	渥太华
1969	46.9	454.8	115.70	206.58	202.21
1970	29.4	464.2	88.47	202.16	190.77
1971	24.4	516.6	82.13	219.97	206.1
1972	27.9	247.2	66.6	115.04	82.34
1973	13.2	173.3	36.73	76.81	90.41
1974	17.5	216.6	47.54	96.61	98.07
1975	12.4	190.9	36.55	83.32	75.86
1976	11.7	148.4	32.14	66.02	58.91

注:1969 ~ 1976 年香港与伊尔库茨克氚值(王瑞久,1984),渥太华数据来自 IAEA/WMO。

同样获得直线插值公式:

$$C_{西} = C_{香} + \frac{C_{伊} - C_{香}}{X_{伊} - X_{香}}(X_{西} - X_{香}) \tag{3-5-5}$$

由以上两式计算出西安地区 1969 ~ 1976 年的两组降水氚值,再与渥太华资料相关得:

对数:　　　　　$C_{西} = 0.429\,5C_{渥} + 9.135\,1 \tag{3-5-6}$

直线:　　　　　$C_{西} = 1.007\,4\,C_{渥} + 6.424\,7 \tag{3-5-7}$

根据渥太华 1953 ~ 1999 年的资料可以推算出西安地区同期的降水氚值。对比西安降水恢复氚值,确定采用直线与对数插值的平均值 $C_{西} = \dfrac{C_{直} + C_{对}}{2}$ 作为西安入渗氚值。计算结果见表 3-5-2。

3.5.3.2 双参考曲线法

Scott C. Doney(1992)等人通过对 WMO/IAEA 全球 250 个长期观测台站的降雨氚浓度资料统计分析发现,任何一台站的年平均氚浓度与时间和空间位置有着密切的关系,均可表示为时间因子 $\hat{C}_p(t, i)$ 与空间因子 $l(i, \phi)$ 的线性组合。即

表 3-5-2 西安地区降水氘值恢复结果

年份	渥太华	香港	伊尔库茨克	西安地区降水氘恢复值 C_0				降水量 (mm)	α_i	$\alpha_i C_0$
				直线插值	对数插值	平均值	双参考曲线			
1953	264			272.38	122.52	197.45		551.7	0.968 9	191.31
1954	287.7			296.25	132.7	214.48		642.2	1.127 9	241.9
1955	41.3			48.03	26.87	37.45		591.1	1.038 1	38.88
1956	183.8			191.58	88.08	139.83		585.4	1.028 1	143.76
1957	118.0			125.3	59.82	92.56		743.2	1.305 2	120.81
1958	587.2			597.97	261.34	429.66		839.0	1.473 5	633.10
1959	451.6			461.37	203.1	332.24		384.4	0.675 1	224.29
1960	156.3			163.88	76.27	120.08	122.63	562.4	0.987 7	118.60
1961	227.3	59.0		235.41	106.76	171.09	283.29	621.2	1.091 0	186.65
1962	997.42	170.1		1 011.23	437.53	724.38	666.17	556.5	0.977 3	707.97
1963	2 900.09	320.0		2 927.98	1 254.72	2 091.35	1 399.01	584.1	1.025 8	2 145.34
1964	1 532.8	70.6		1 550.57	667.47	1 109.02	981.21	782.3	1.373 9	1 523.69
1965	778.17	163.8		790.35	343.36	566.86	642.23	560.2	0.983 8	557.7
1966	560.8	70.7		571.37	250.00	410.69	413.35	487.7	0.856 5	351.76
1967	324.23	25.2		333.05	148.39	240.72	315.84	542.1	0.952 1	229.18
1968	216.89	28.7		224.92	102.29	163.61	276.39	627.1	1.101 3	180.18
1969	205.21	46.9	454.8	213.15	97.27	155.21	277.26	408.9	0.718 1	111.46
1970	190.77	29.4	464.2	198.61	91.07	144.84	273.57	662.3	1.163 2	168.47
1971	206.1	24.4	516.6	214.05	97.66	155.86	248.9	555.6	0.975 8	152.08
1972	82.34	27.9	247.2	89.37	44.50	66.94	184.10	525.4	0.922 7	61.77
1973	90.41	13.2	173.3	97.5	47.97	72.74	157.35	547.7	0.961 9	69.97
1974	98.07	17.5	216.6	105.22	51.26	78.24	168.01	626.5	1.100 3	86.09
1975	75.86	12.4	190.9	82.85	41.72	62.29	130.75	671.6	1.179 5	73.47
1976	58.91	11.7	148.4	65.77	34.44	50.11	104.27	513.8	0.902 4	45.22
1977	73.93	12.2		80.9	40.89	60.9	110.89	346.1	0.607 8	37.02
1978	73.63	10.9		80.6	40.76	60.68	94.71	530.0	0.930 8	56.48
1979	49.63			56.42	30.45	43.44	86.62	491.1	0.862 5	37.47
1980	48.54			55.32	29.98	42.65	74.94	512.0	0.899 2	38.32
1981	55.09			61.92	32.8	47.36	73.88	726.1	1.275 2	60.39
1982	47.29			54.06	29.45	41.76	65.1	498.6	0.875 7	36.57
1983	40			46.72	26.32	36.52	67.5	903.2	1.586 2	57.93
1984	36.45			43.14	24.79	33.97	55.95	665.0	1.167 9	39.67
1985	35.34			42.03	24.31	33.17	54.1	491.2	0.862 7	28.61
1986	47.46			54.24	29.52	41.88	51.0	402.8	0.707 4	29.63
1987	37.35			44.05	25.18	34.62	49.2	608.6	1.068 8	37.00
1988	36.69			43.39	24.89	34.14	44.3	658.3	1.156 1	39.47
1989	40.34			47.06	26.46	36.76	39.88	626.5	1.100 3	40.45
1990	39.12			45.83	25.94	35.89	35.91	458.5	0.805 2	28.90
1991	34.65			41.33	24.02	32.68	32.33	612.9	1.076 4	35.18
1992	21			27.58	18.15	22.87	29.11	539.4	0.947 3	21.67
1993	18.46			25.02	17.06	21.04	26.21	440.7	0.774 0	16.28
1994	20.27			26.84	17.84	22.34	23.59	531.1	0.932 7	20.84
1995	16.12			22.66	16.06	19.36	21.24	312.2	0.548 3	10.62
1996	16.58			23.13	16.26	19.7	19.12	713.4	1.252 9	24.68
1997	22.35			28.94	18.73	23.84	17.22	362.0	0.635 8	15.16
1998	21.87			28.45	18.53	23.49	15.5	600.5	1.054 6	24.77
1999	18.68			25.24	17.16	21.2	13.96	589.5	1.035 3	21.95
2000	16.12			22.66	16.06	19.36	12.57	539.0	0.946 6	18.33
2001	16.12			22.66	16.06	19.36			1.0	19.36

$$\bar{C}_p(t,\phi) = \sum_i^n \hat{C}_p(t,i)l(i,\phi) + \varepsilon(t,\phi) \qquad (3\text{-}5\text{-}8)$$

式中　$\bar{C}_p(t,\phi)$——年平均降水氚浓度；

　　　i——第 i 个站点；

　　　t——时间；

　　　ϕ——纬度；

　　　$\varepsilon(t,\phi)$——误差矩阵。

同时，Scott C.Doney(1992)等人通过因子分析，绘制出符合全球平均氚浓度的参考曲线图，并根据式(3-5-8)将每一台站的降水氚浓度分解成两参考曲线 $\hat{C}_p(t,1)$ 与 $\hat{C}_p(t,2)$ 的线性组合：

$$C_p(t) = f_1\hat{C}_p(t,1) + f_2\hat{C}_p(t,2) + \varepsilon_a(t) \qquad (3\text{-}5\text{-}9)$$

其中 f_1 与 f_2 随站点位置的不同而不同，而 $\hat{C}_p(t,1)$ 与 $\hat{C}_p(t,2)$ 则根据 1960~1986 年氚资料得出。结果见表 3-5-3。通过参考曲线与图中适当的系数值相结合即可得出特定地区的历史降水氚浓度，同时 Scott C.Doney(1992)对氚浓度进行了衰变校正，日期为 1981 年 1 月 1 日。

表 3-5-3　双参考曲线法恢复结果

年份	$\hat{C}_p(t,1)$	$\hat{C}_p(t,2)$	恢复结果	校正还原	年份	恢复结果
1960	0.316	0.227	38.02	122.63	1987	49.20
1961	0.746	0.605	92.87	283.29		
1962	1.951	1.316	230.91	666.17	1988	44.3
1963	5.172	1.280	512.74	1 399.01		
1964	3.585	1.439	380.24	981.21	1989	39.88
1965	2.099	1.743	263.15	642.23		
1966	1.317	1.404	179.08	413.35	1990	35.91
1967	0.875	1.504	144.68	315.84		
1968	0.836	1.340	133.87	276.39	1991	32.33
1969	0.902	1.396	142.20	277.66		
1970	0.921	1.491	148.14	273.57	1992	29.11
1971	0.927	1.354	142.51	248.90		
1972	0.684	1.139	111.45	184.10	1993	26.21
1973	0.626	1.014	100.72	157.35		
1974	0.723	1.113	113.71	168.01	1994	23.59
1975	0.599	0.908	93.57	130.75		
1976	0.510	0.756	78.90	104.27	1995	21.24
1977	0.572	0.853	88.72	110.89		
1978	0.530	0.744	80.12	94.71	1996	19.12
1979	0.476	0.791	77.48	86.62		
1980	0.424	0.746	70.88	74.94	1997	17.22
1981	0.456	0.750	73.88	73.88		
1982	0.378	0.708	65.12	65.12	1998	15.5
1983	0.402	0.714	67.51	67.50		
1984	0.355	0.549	55.95	55.95	1999	13.96
1985	0.313	0.589	54.05	54.05		
1986	0.309	0.529	51.00	51.00	2000	12.57

根据式(3-5-9)对西安地区的降水氚浓度进行了恢复,其中因子模型系数 f_1 与 f_2,根据西安地区的位置,查阅(Scott C. Doney)(1992)等人所绘制的参数分布图,可得其值分别为 88 与 45。将 f_1、f_2 与 $\hat{C}_p(t,1)$、$\hat{C}_p(t,2)$ 代入式(3-5-9)即可得出西安地区 1960 ~ 1986 年的降水氚浓度。由于 Scott C. Doney 对所用的氚值进行了衰变校正,因此必须对其进行校正还原。

根据式(3-5-9)所恢复的氚浓度只到 1986 年,因此需对降水氚浓度与时间进行相关分析,建立相关方程,从而得出 1987 ~ 2000 年的降水氚浓度值。结果见表 3-5-3。

3.5.3.3 两种方法的比较

将上述两种方法所恢复的氚值与 IAEA 网站西安地区 1985 ~ 1992 年实测资料进行比较,其恢复精度可用相对误差来定量表示:

$$\varepsilon = \frac{S_{实测} - S_{恢复}}{S_{实测}} \times 100\% \tag{3-5-10}$$

式中　$S_{实测}$——IAEA 网站实测数据;

　　　$S_{恢复}$——采用两种方法所恢复的结果。

由式(3-5-10)可得误差分析结果,见表 3-5-4。

表 3-5-4　误差分析

年份	实测值	插值法	相对误差(%)	双参考曲线法	相对误差(%)
1985	36.38	33.17	8.8	54.05	− 48.6
1986	44.00	41.88	4.8	51.00	− 15.9
1987	38.10	34.62	9.1	49.20	− 29.1
1988	30.46	34.14	− 12.1	44.30	45.4
1989	38.60	36.76	4.8	39.88	3.3
1990	43.12	35.89	16.8	35.91	16.7
1991	29.52	32.68	10.7	32.33	− 9.5
1992	48.97	22.87	53.3	29.11	− 40.6

从表 3-5-4 可以看出,采用插值法所恢复的氚浓度与实测值的相对误差较低,只有 1992 年相对误差较大。这主要因为该年实测数据为 6 ~ 11 月份,而此时正是氚值高峰期,因此造成 1992 年氚浓度较高。对于双参考曲线法,由于 Scott C. Doney 等人是通过对 WMO/IAEA 的 250 个台站数据的分析而得出的适合全球区域性氚浓度的一系列参考曲线,而这些台站多分布在岛站,对氚值起到了一定的平滑,从而造成所得结果较实测值偏高。因此,本次计算选用插值法所得结果作为西安地区氚浓度的恢复结果。

3.5.4　模型计算

3.5.4.1　全混模型计算

全混模型数学表达式已给出(式(3-5-2))。其中降水氚浓度的恢复已在 3.5.3 节中完成,通过比较宜采用插值法所恢复的结果做为氚输入值。另外,降水氚输入量与降水量密切相关,因此需用研究区降水量作为权重进行校正,校正结果见表 3-5-2。校正系数为:

$$\alpha_i = \frac{P_i}{\sum\limits_{1953}^{2001} \dfrac{P_i}{48}} = \frac{P_i}{\overline{P}}$$

式中 α_i——i 年份雨量校正系数,对于没有校正系数的年份暂以 $\alpha_i = 1$ 计算;

        P_i——i 年的降水量;

        $\overline{P}$——多年平均降水量。

由于已建立的氚值输入函数是不连续的,所有补给氚都是以年平均值计算的,所以将式(3-5-2)改写成累加形式:

$$C(t) = \int_0^{t-1953} \sum_{i=1}^{m} \alpha_i(t-\tau) C_0^i(t-\tau) \frac{1}{\tau_m} e^{-\tau(\frac{1}{\tau_m}+0.055\,764)} \tag{3-5-11}$$

关中盆地同位素取样时间为 2000 年和 2001 年,因此 $t = 2001$ 年。另外,1953 年以前全球降水氚值小于 10 TU,故 $t-\tau = 48$ 年。所以上式可改写成:

$$C(t) = \sum_{\tau=0}^{48} \sum_{i=1}^{m} \frac{\alpha_i(t-\tau)}{\tau_m} C_0^i(t-\tau) e^{-\tau(\frac{1}{\tau_m}+0.055\,764)} + \sum_{\tau=48}^{\infty} \frac{1}{\tau_m} \alpha_i(t-\tau) C_0(t-\tau) e^{-\tau(\frac{1}{\tau_m}+0.055\,764)}$$

$$\tag{3-5-12}$$

式(3-5-12)右端第二项为未受核试验影响的"天然氚本底值"项,其计算结果很小,通常在测量误差范围内,故忽略不计。于是上式可简化为:

$$C(t) = \frac{1}{\tau_m} \sum_{\tau=0}^{48} \sum_{i=1}^{m} \alpha_i(t-\tau) C_0^i(t-\tau) e^{-\tau(\frac{1}{\tau_m}+0.055\,764)} \tag{3-5-13}$$

将表 3-5-2 中所计算的 $\alpha_i C_0^i$ 值代入上式,以 2001 年为"零"年开始计算,通过不同的 $\tau_m = 5 \sim 500$ 年,得出氚输出函数。根据输出值与 τ_m 编绘 $C(t) \sim \tau_m$ 曲线(见图 3-5-1),再根据样品实测氚值即可得出地下水的年龄。

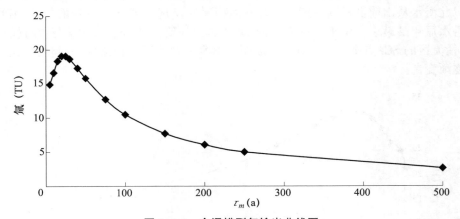

图 3-5-1　全混模型氚输出曲线图

一般认为,采用全混模型所计算出的地下水年龄偏大,这主要由于此模型认为雨水与地下水完全混合,地下水的输入水量等于输出水量。根据采样点的测试氚值结合图 3-5-1,可得出地下水的平均滞留时间随着埋深的增加而增长。位于山前洪积扇区的潜水氚值较低,黄土台塬区次之,冲积平原区最高,说明从山前洪积扇区到冲积平原区潜水的平均滞留时间变短,地下水年龄变轻。

3.5.4.2 指数—活塞流组合模型计算

组合模型的数学表达式见式(3-5-3)。关中盆地地下水系统主要的输入项为大气降水和灌溉回归水,输出项为开采量,但由于缺少灌溉回归水同位素资料,因此地下水年龄的计算模型概化为单输入—单输出系统。式(3-5-3)可简化为:

$$C(t) = \frac{\eta}{Q(t)\tau_m} \sum_{\tau=k}^{t-1953} \sum_{i=1}^{m} \alpha_i S_i C_0^i(t-\tau) P_i(t-\tau) e^{-\tau(\lambda + \frac{\eta}{\tau_m}) + \eta - 1} \tag{3-5-14}$$

其中:$\tau \geq \tau_m(1 - \frac{1}{\eta})$,$k = \tau_m(1 - \frac{1}{\eta})$。

由于关中盆地地下水以渭河为界,两侧各为独立的系统,因此应用组合模型时需分别进行计算。本节只对渭河以北取样点所在区域进行了计算,渭河以南计算方法相同,在此不再重复计算。根据关中盆地不同地貌单元,将渭河以北取样点所在区域分为三个区,各区降水入渗分区参数见表3-5-5。

表 3-5-5　关中盆地降水入渗分区参数

入渗分区	面积(km²)	入渗系数	开采模数(万 m³/(km²·a))
山前洪积扇区	760.04	0.2	14.123
黄土台塬区	1 196.73	0.1	3.600
冲积平原区	1 805.96	0.3	12.124

根据开采模数与面积求得 $Q(t) = 3.694 \times 10^4$ m³/a,将 $Q(t)$ 与表3-5-5中数据带入式(3-5-14),取 $\tau_m = 2 \sim 500$ 年,通过计算机求出不同 η 值下的 $C(t)$ 值。当 $\eta = 1$ 时代表全混模型,当 $\eta > 1$ 时代表指数—活塞流组合模型。

根据比较选取 $\eta = 1.3$ 时的曲线作为输出曲线(如图3-5-2所示)。由采样点的氚浓度从图中可得地下水的平均滞留时间:以枯水期为例,渭河以北山前洪积扇区潜水氚年龄约为150年,黄土台塬区则大于200年,冲积平原区潜水平均滞留时间为50~100年,表明渭河以北潜水从山前洪积扇→黄土台塬→冲积平原呈现出新→老→新的特征,其中冲积平原潜水氚年龄最小。位于Ⅰ—Ⅰ′剖面(见图3-1)补给区的岩溶水 SC_1 滞留时间小于50年,而径流区的 SC_2 点则大于100年。表明岩溶水从补给区→径流区→排泄区,地下水氚年龄逐渐变老。

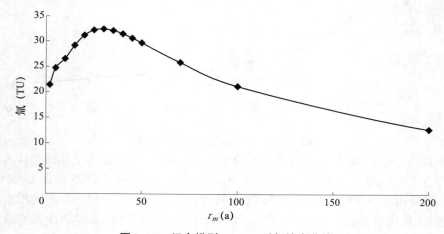

图 3-5-2　组合模型 $\eta = 1.3$ 时氚输出曲线

3.6 ^{14}C 年龄的校正

应用^{14}C方法测定含碳物质的年龄最早由 W.F.Libby（1949）提出，1957 年 K.O.Münnich 首次将^{14}C方法应用于测定地下水的年龄。^{14}C法主要适用于测定开启和半开启地下水系统中近代循环水的年龄，其测年上限为 5 万 ~ 6 万年。因为地下水中的溶解无机碳由于各种水文地球化学作用而使地下水中的^{14}C浓度得以稀释，因此实验室所测定的年龄是未经校正的年龄(视年龄)，需对其进行校正。

本次研究只对岩溶水与承压水进行了^{14}C的测定，因此本节将只对岩溶水与承压水的^{14}C年龄进行校正。

3.6.1 基本原理

^{14}C测年法主要依据放射性^{14}C的衰变规律得出的，其衰变方程为：

$$A_{样} = A_0 e^{-\lambda t} \tag{3-6-1}$$

式中：A_0——地下水初始^{14}C浓度(PMC)；

$A_{样}$——实测样品的^{14}C浓度；

t——样品的^{14}C年龄(a,B.P)；

λ——^{14}C的衰变常数($\lambda = \dfrac{\ln 2}{T_{1/2}}$)；

$T_{1/2}$——^{14}C的半衰期(5 568 年)。

将值代入式(3-6-1)可得

$$t = \frac{1}{\lambda} \ln \frac{A_0}{A_{样}} = 8\ 035 \ln \frac{A_0}{A_{样}} \tag{3-6-2}$$

3.6.2 模型校正

^{14}C测年是应用地下水中的溶解碳作为示踪剂来测定地下水的年龄，因此用^{14}C法测定地下水年龄的首要问题是如何正确地确定地下水溶解无机碳的初始^{14}C浓度 A_0。根据地下水系统的水文地球化学条件的不同，并考虑系统是封闭的还是开放的而建立了各种物理化学校正模型，其中较为常用的有经验估算模型、基于化学平衡的 Tamers 模型、封闭溶解系统同位素混合的 Pearson 模型、开放系统的 Confiantinie 交换校正模型、开放系统化学溶解的 Mook 模型以及开放系统化学稀释的 Fontes 模型等。根据本次研究的实测资料，在此选取三种模型进行校正。

3.6.2.1 经验法

J.C.Vogel(1970)统计了西欧和南非地区 200 多个地下水^{14}C测定资料，他认为由现代降水补给的地下水，其初始^{14}C浓度大部分为 80% ~ 90% mod。因此，他认为可采用 85% 作为地下水^{14}C年龄计算的现代碳标准，即 $A_0 = 85\% \pm 5\%$ mod。

根据 Vogel 的结论，将 A_0 代入式(3-6-2)即可得出^{14}C校正年龄，结果见表 3-6-1。

表 3-6-1　经验法 ^{14}C 校正结果

| 点号 | 丰水期 | | | 枯水期 | | | 平均 |
	^{14}C (PMC)	距今年代 (a.B.P)	校正后年龄 (a.B.P)	^{14}C (PMC)	测试年龄 (a.B.P)	校正后年龄 (a.B.P)	(a.B.P)
SC_1	10.24		17 005	10.89	17 810 ± 200	16 510	16 758
SC_2	7.51		19 496	52.6	5 230 ± 480	3 856	19 496
SC_3	29.49		8 506	31.86	9 190 ± 150	7 885	7 971
YR_6				6.14	22 410 ± 430	21 115	
ZJ				12.76	16 540 ± 180	15 237	
SY_1				7.67	20 625 ± 235	19 327	
SY_2				9.89	18 580 ± 210	17 284	

3.6.2.2　封闭溶液系统化学稀释校正模型

M.A.Tamers(1966)根据溶有土壤 CO_2 的水与碳酸盐反应生成无机碳的一般化学反应原理：

$$CO_2 + CaCO_3 + H_2O \Longrightarrow Ca^{2+} + 2HCO_3^- + CO_2$$

提出用建立碳化学平衡方法来确定地下水初始 ^{14}C 浓度。其校正模型为：

$$t = 8\ 035\ \ln \frac{A_0}{A_样} + 8\ 035\ln\left[\frac{[C_总] - \frac{1}{2}[HCO_3^-]}{[C_总]}\right] \tag{3-6-3}$$

式中　A_0——现代碳标准样的放射性,等于 100%(mod)；

$A_样$——样品中碳酸盐的放射性；

$[C_总]$——地下水中碳酸盐的总量,mol/L；

$[HCO_3^-]$——地下水中 HCO_3^- 的含量,mol/L。

由式(3-6-3)即可计算出样品校正后的 ^{14}C 年龄,结果见表 3-6-2。

表 3-6-2　Tamers 法校正结果

| 点号 | 丰水期 | | | | 枯水期 | | | | | 平均 |
	^{14}C (PMC)	$[C_总]$ (mol/L)	$[HCO_3^-]$ (mol/L)	校正年龄 (a.B.P)	^{14}C (PMC)	$[C_总]$ (mol/L)	$[HCO_3^-]$ (mol/L)	测龄 (a.B.P)	校正年龄 (a.B.P)	(a.B.P)
SC_1	10.24	0.005 69	0.005 69	12 742	10.89	0.004 16	0.004 16	17 810 ± 200	12 247	12 495
SC_2	7.51	0.004 63	0.004 63	15 233	52.6	0.004 70	0.004 70	5 230 ± 480		15 233
SY_1					7.67	0.005 18	0.005 18	20 625 ± 235	15 064	15 064
SY_2					9.89	0.005 09	0.005 09	18 580 ± 210	13 021	13 021
SC_3	29.49	0.005 61	0.005 61	4 243	31.86	0.004 36	0.004 36	9 190 ± 150	4 327	4 285
YR_6					6.14			22 410 ± 430		
ZJ					12.76			16 540 ± 180		

注：SC_2 枯水期 ^{14}C 与丰水期相差较大,可能是样品遭到污染,因此以丰水期为准。

3.6.2.3　封闭溶解系统同位素混合模型

F.J.Jr.Pearson(1964)考虑了碳同位素的分馏效应和碳酸盐的稀释作用,提出计算样品中 ^{14}C 原始放射性(A_0)的数学式：

$$A_0 = \frac{\delta^{13}C_{总溶解碳} - \delta^{13}C_{石灰岩}}{\delta^{13}C_{土壤CO_2} - \delta^{13}C_{石灰岩}} \left(A_{土壤CO_2} - A_{石灰岩} \right) + A_{石灰岩} \tag{3-6-4}$$

当石灰岩为海相碳酸盐时，$\delta^{13}C_{石灰岩} \approx 0\%$，$A_{石灰岩} = 0\%$（mod），土壤中 CO_2 的 $\delta^{13}C_{土壤CO_2} = 25\%$，$A_{土壤CO_2} = 100\%$（mod），则式（3-6-4）可写为：

$$A_0 = \frac{\delta^{13}C_{总溶解碳}}{-25} \times 100 \tag{3-6-5}$$

由式（3-6-5）可得到 Pearson 法的 ^{14}C 校正年龄，见表 3-6-3。

表 3-6-3　Pearson 法校正结果

点号	丰水期			枯水期				平均 (a.B.P)
	^{14}C(PMC)	$\delta^{13}C$(‰)	校正年龄 (a.B.P)	^{14}C(PMC)	$\delta^{13}C$(‰)	测龄 (a.B.P)	校正年龄 (a.B.P)	
SC_1	10.24	−9.0	10 102	10.89	−10.4	17 810 ± 200	10 769	10 436
SC_2	7.51	−7.5	11 128	52.6	−8.7	5 230 ± 480		11 128
SY_1				7.67	−8.9	20 625 ± 235	12 334	12 334
SY_2				9.89	−11.0	18 580 ± 210	11 994	11 994
SC_3	29.49	−14.7	5 545	31.86	−12.5	9 190 ± 150	3 621	4 583
YR_6				6.14	−9.7	22 410 ± 430	14 813	14 813
ZJ				12.76	−13.0	16 540 ± 180	11 289	11 289

3.6.3　三种方法的比较

通过上面的计算可以看出，不同的模型得出的 ^{14}C 年龄具有较大的差别，而丰、枯水期也有一些变化，比较结果见表 3-6-4。这是由于各种模型所考虑的化学反应不同。Vogel 模型由于是根据统计结果所得出的原始 ^{14}C 放射性，因此其校正结果相对后两种偏老，可以认为是地下水年龄的上限。Tamers 模型是在封闭条件下考虑了土壤 CO_2 与碳酸盐的反应，因此较 Vogel 低。Pearson 模型也是在封闭系统中，CO_2 只来源于补给区土壤带，土壤 CO_2 与溶解无机碳之间不发生碳同位素交换。Pearson 模型所计算的结果与 Tamers 模型结果较为接近，可以认为与地下水的真实年龄比较接近。

计算结果表明，岩溶水随着其流经路径，从径流区到排泄区，^{14}C 年龄逐渐变老。在 Ⅰ—Ⅰ 剖面（见图 3-1）上，位于补给区的 SC_1 点 ^{14}C 年龄为 10 436 年，而到了径流区的 SC_2 点则为 11 128 年。同样位于 Ⅱ—Ⅱ 剖面（见图 3-1）补给区的 SC_1 点，其 ^{14}C 年龄均低于径流区的 SY_2 点与排泄区的 SY_1 点。这与上游受到降雨入渗补给，而下游封闭条件较好，只接受上游岩溶水的侧向补给有关。另外，SC_1 与 SC_2 两点的 ^{14}C 年龄相差较小，这与两点之间径流路径较短有关。

表 3-6-4　^{14}C 校正年龄比较表

取样时间	样品号	^{14}C (PMC)	视年龄 (a.B.P)	Vogel (a.B.P)	Tamers (a.B.P)	Pearson (a.B.P)
丰水期	SC_1	10.24		17 005	12 742	10 102
	SC_2	7.51		19 496	15 233	11 128
	SC_3	29.49		8 506	4 243	5 545
枯水期	SC_1	10.89	17 810	16 510	12 247	10 769
	SC_2	52.6	5 230	13 856	现代水	现代水
	SC_3	31.86	9 190	7 885	4 327	3 621
	SY_1	7.67	20 625	19 327	15 064	12 334
	SY_2	9.89	18 580	17 284	13 021	11 994
	YR_6	6.14	22 410	21 115		14 813
	ZJ	12.76	16 540	15 237		11 289

浅层承压水 SC_3 点 ^{14}C 年龄明显小于中、深层承压水样品的 ^{14}C 年龄,说明 SC_3 点受到现代水的补给,这与前文叙述潜水与承压水之间存在着越流补给的结论相一致。位于富平县施家的承压水 YR_6 样和澄县镇吉的 ZJ 样校正后年龄为 14 813 年和 11 289 年,相对较老,说明两样的封闭条件较好,天然条件下径流缓慢,地下水更新速度小,与实际水文地质条件相符。

3.6.4　岩溶水的区域流速

利用 ^{14}C 可以确定地下水的运动速度,即沿地下水的流向选取两点,其 ^{14}C 浓度分别为 A_1 和 A_2,两者之间距离为 L,则两点间地下水的传输时间为:

$$\Delta T = \frac{1}{\lambda} \ln \frac{A_1}{A_2}$$

因此地下水的运动速度为:

$$v = \frac{L}{\Delta T} = \frac{L}{\left(\frac{1}{\lambda} \ln \frac{A_1}{A_2} \right)} \tag{3-6-6}$$

由式(3-6-6)则可求出岩溶水的区域流速。

对于渭北岩溶水 SC_1 与 SC_2,两点之间距离为 40 km,在丰水期两点 ^{14}C 浓度为 $A_1 = 10.24$、$A_2 = 7.51$,则 $\Delta T = \frac{1}{\lambda} \ln \frac{A_1}{A_2} = 8\,035 \ln \frac{10.24}{7.51} = 2\,491(a)$,$v = \frac{L}{\Delta T} = 16$ m/a,即岩溶水平均运动速度约为 16 m/a。

第4章　地下水动力场演化与环境效应

4.1　地下水动力场演化

4.1.1　潜水动力场时空演化

根据笔者对关中盆地 557 个动态观测孔,近 20 年来约 10 万个水位动态数据的分析得知,关中盆地区域地下水动力场的时空演化在不同地貌和水文地质条件的地段有较大的差异性,这种差异性既受地质地貌、气象与水文变异的影响,也受到人类活动的干扰与叠加,形成了自然与人类双重作用下区域水循环模式。在空间上潜水动力场演化的差异性大体上可划分为三个地段,即环绕盆地周边山前洪积扇区、河流沿岸区与农田灌溉区。

4.1.1.1　环绕盆地周边山前洪积扇区

该区地下水位埋深较大,地下水位受降水和出山口河流水文动态影响为主,人类活动影响为辅,脉冲式降水与水文输入信号,通过山前较厚的包气带平滑、调节及延迟作用,交换为历时较长的响应过程。基于这种机制,本区地下水位年变化特征为:

(1)年内一般出现两个峰值,第一个峰值出现在 3~4 月份,第二个峰值出现在 7~9 月份。

(2)由于地下水位埋深较大,包气带平滑、延迟功能明显,地下水位动态相对于河流与大气降水补给的脉冲式输入一般有 6~15 天的迟后。

(3)山前河水与地下水关系密切。据实测,河水渗漏系数为 20%~40%,个别高达 80%~100%。受暴涨暴落的地表径流影响,地下水位变幅较大,年内水位变幅可达 4~10 m,表明地下水动力场与地下水量自然更新和调蓄功能受地表径流影响极为敏感。

(4)经多年动态分析,地下水位年际变化与气象周期相一致,具有多年的丰、平、枯变化周期,地下水动力场主要受气象水文因素影响,局部地带叠加人工影响。

4.1.1.2　河流沿岸地段

沿河地段地下水动力场的演化主要受控于水文因素和水文与傍河开采的影响,前者主要分布于沿河两岸 1~3 km 的范围内且无傍河开采地段;后者主要分布于傍河水源地影响带内。

1)沿河两岸且无傍河开采地段地下水动力场演化

沿河两岸且无傍河开采地段,地下水动力场的演化主要受控于河流流量和河水位影响,以渭南渭河漫滩 B_{550} 和 W_{15-2} 孔潜水 1985~1997 年水位动态为例,分析潜水位与河水之间的关系(如图4-1-1 所示)。由图 4-1-1 可以看出,潜水位动态受河水位升降的影响,潜水位动态与河水位动态基本同步。洪水期河水位上升时,潜水位表现为高水位期;当河水处于枯水期时,潜水位表现为低水位期。从图 4-1-1 曲线图可清楚看出:B_{550}、W_{15-2} 孔潜水

1985～1993年间,潜水位动态与渭河水位动态完全一致。潜水位的升降幅度小于河水位的升降幅度,且随距河水距离的增加而减少。洪水期渭河水位高涨,渭河水补给潜水,潜水位有适当的回升。1986年以来,降水量减少,河水流量变小,渭河水位偏低,故该地区潜水位一直呈下降趋势。1985～1990年,处于波状略有下降状态;1990～1993年,下降速度加快;1993～1997年,下降幅度较大。13年来,潜水位下降了2.52～5.61 m。图4-1-1中W_{15-2}孔,潜水位虽然随渭河水位的涨落而有升有降,但其总趋势呈波状分段性下降,1986～1997年潜水位下降5.09 m。类似情况,在渭河及其支流均有发生。由此可见,河水流量增加或消减以及河水位升降,影响着沿河两岸地下水动力场演化以及地下水与河水之间补排关系,当河水流量消减到一定程度后,将可能导致河水位与地下水位出现"脱节"现象。通过对近十几年渭河流量动态分析表明,渭河流量呈减少趋势,叠加人工影响及两岸地下水位下降,动力场出现变异。

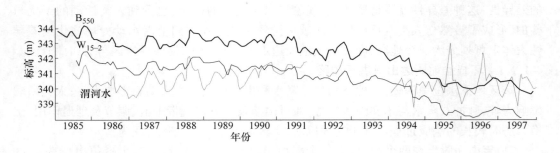

图4-1-1　渭河岸边潜水位月平均动态曲线

2)河流沿岸傍河水源地影响带的地下水动力场演化

傍河取水是实施地表水和地下水联合开发的重要方式。在河流岸边兴建大中型傍河水源地,可达到激发河流补给、自然过滤泥沙、保持稳定供水的目的。特别在渭河中下游沿岸地区及其多泥沙支流沿岸,兴建地下水水源地,可免建难度较大的河流泥沙处理工程,是多泥沙河流水资源利用的有效方式。渭河与黄河在关中盆地流程分别为502 km和140 km。目前从宝鸡—潼关、龙门—潼关傍渭河、黄河地带建成水源地共计33处,日开采量169.01×10^4 m³,傍河水源地的建成,有力地支持了陇海铁路沿线经济建设。但同时,由于傍河开采的水文效应,引起地下水动力场变化,对水循环已产生相应的影响。

受傍河水源地开采影响,地下水与河水补排关系发生局部变化,主要由开采前地下水补给河水型转变为河水补给地下水型;地下水动态也由开采前水文型转变为水文—开采型。以傍渭河龙背水源地为例,区内潜水位多年动态主要受降水、河水位及开采影响,1992、1993年前以降水量和水文影响为主,以后随着水源地建成开采量影响增加,到1997年基本转化为开采型。受人工开采量增加和渭河流量减少影响,潜水水位呈持续下降趋势,而降水量和河水位的季节性和年周期性变化,又引起潜水位升降呈季节性和年周期性变化,从而使该区潜水位动态呈波状下降趋势(如图4-1-2所示)。

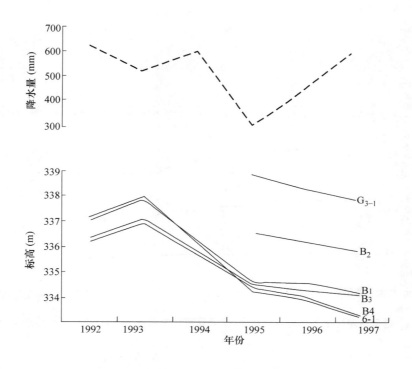

图 4-1-2 龙背水源地潜水多年动态曲线

又如灞河水源地是西安供水量最大、投产最早的傍河水源地,其地下水位动态主要受降水、河水侧渗及人工开采等因素的控制(如图 4-1-3 所示)。1986 ~ 1995 年,在开采量逐年减少的情况下,地下水位仍持续下降,开采漏斗不断向横向、纵深方向发展,如图 4-1-4 ~ 图 4-1-6 所示。其主要原因有三:第一,1986 ~ 1999 年持续干旱少雨,如 1986 ~ 1990 年平均降水量为 550.9 mm/a,而 1991 ~ 1995 年的降水量平均为 487.3 mm/a,1995 年降水量只有 312.2 mm,降水入渗补给量逐年减少。第二,河流侧渗补给减少。1986 ~ 1995 年灞河径流量由于降水及上游截流引水等因素逐年减少,由 1985 年的 5.391×10^8 m³/a 到 1995 年减少为 1.251×10^8 m³/a 。而且断流时间逐年延长,加上人工挖沙,造成河床降低及河床的侧渗补给量逐年减少。第三,水源地范围内农业开采及附近国有大中型企业自备井开采是地下水位持续下降的不可忽略的另一因素。据调查,席王、灞桥、洪庆三乡及部分国有企业在水源地附近有农灌机井及自备井 140 口,开采深度为 80 ~ 150 m,1995 年开采量为 $1 943.9 \times 10^4$ m³(5.32×10^4 m³/d),减少了水源地地下水径流补给。

类似情况在灞河、沣皂河、渭滨等其他水源地都存在(如图 4-1-7 ~ 图 4-1-9 所示)。实际上,自 1981 ~ 2000 年渭河径流量一直呈波状下降趋势(如图 4-1-10 所示),例如,1981 ~ 1990 年华县的年均径流量为 81.53×10^8 m³/a,而 1991 ~ 2000 年华县的年均径流量只有 40.5×10^8 m³/a。河流径流量减少,导致河流水深和河流渗漏面积变浅和变小,从而使河流入渗量减少。由此可见,受人工开采、持续干旱、河水径流量急剧减小等自然和人为因素的影响,沿渭河及支流的傍河水源地地下水动力场发生变化,降落漏斗不断地朝着加深、纵向延伸的方向演化。

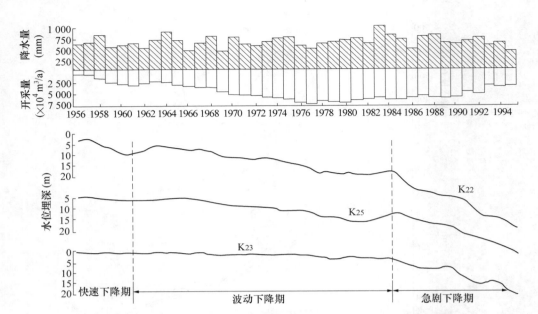

图 4-1-3　灞河水源地地下水位与降水量、开采量变化关系图（陕西省地质环境监测总站，1997）

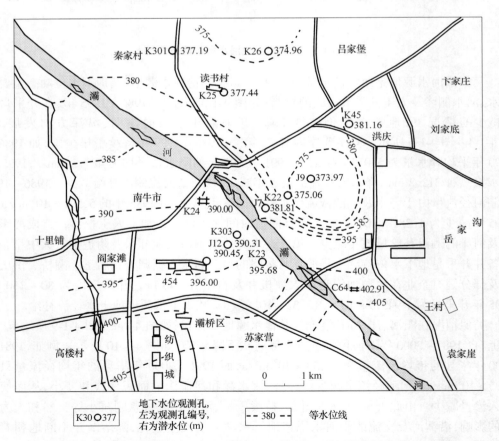

图 4-1-4　灞河水源地 1986 年潜水流场图（陕西省地质环境监测总站，1997）

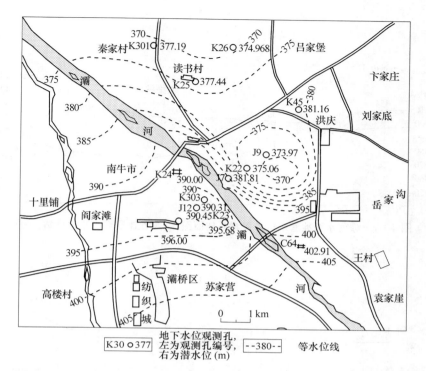

图 4-1-5　灞河水源地 1990 年潜水流场图(陕西省地质环境监测总站,1997)

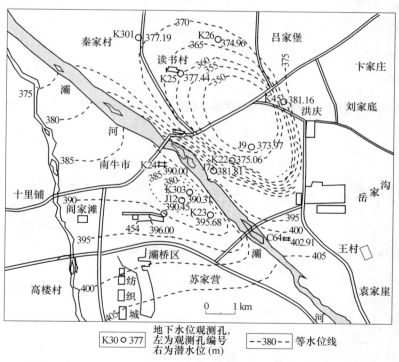

图 4-1-6　灞河水源地 1995 年潜水流场图(陕西省地质环境监测总站,1997)

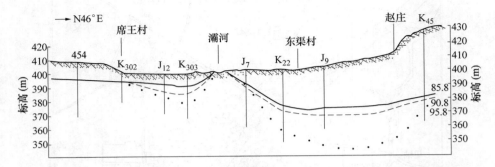

图 4-1-7　灞河水源地潜水位降落漏斗剖面图(陕西省地质环境监测总站,1997)

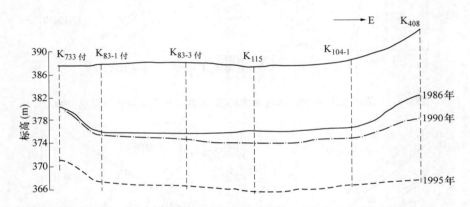

图 4-1-8　沣皂河水源地潜水位降落漏斗剖面图(陕西省地质环境监测总站,1997)

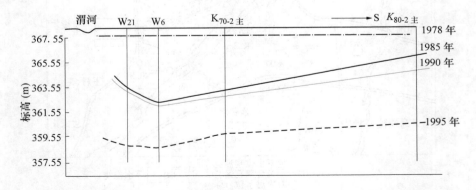

图 4-1-9　渭滨水源地承压水头降落漏斗剖面图(陕西省地质环境监测总站,1997)

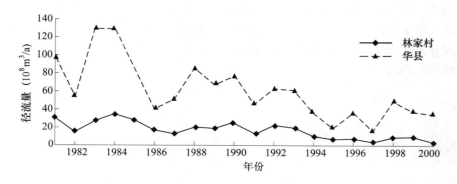

图 4-1-10 渭河林家村、华县断面径流量变化图

4.1.1.3 灌区地下水动力场演化

关中盆地农业发达，区内自 20 世纪 30 年代就兴建了泾惠、洛惠、渭惠 3 大灌区,70 年代前后又修建了宝鸡峡灌区、冯家山灌区、羊毛湾灌区、交口抽渭灌区、东雷抽黄灌区等大型灌区以及小型水库与纯井灌区,这些水利工程的全面实施,对农业生产产生了巨大效益。但由于缺乏水资源合理分配和科学管理,引起地下水动力场和地下水资源量发生重大变化,在一些地段诱发了地质灾害。灌区地下水位时空演化规律主要受灌溉与气象因素影响,其地下水动力场变化的基本规律和特点如下:

20 世纪 60 ~ 70 年代,泾惠、洛惠、渭惠灌区受长期灌溉影响,潜水位普遍上升了 5 ~ 10 m,一些地方甚至大于 10 m;而在渭北西部岐山—扶风塬及部分洪积扇区、宝鸡河谷阶地、长安山前、富平石川河阶地及两侧塬区、临渭华塬区、蒲城塬区等,则由于过量开采地下水和受气象因素影响,地下水位持续下降;其余地段基本上为稳定区。

20 世纪 70 ~ 80 年代末,随着冯家山、羊毛湾、宝鸡峡引渭等灌溉工程的相继投产运行,区内大量引地表水灌溉,由于缺乏先进的灌溉技术,加之对黄土地区地下水和地表水相互转化机理认识不够,采取兴渠废井、大水漫滩的粗放式灌溉方式,引起地下水采补失调,导致 80 年代初期地下水位大幅度上升。同时此时间段内丰水年降雨与灌溉交错叠加,相互结合,加速了地下水位上升的趋势。1979 ~ 1988 年 10 年间就有 4 个丰水年,出现了 1983、1984 年连续丰水年,地下水位上升出现第一次高峰,1981 年降水量达到 857.5 mm,仍出现冬、春、夏三次地面水灌季,1988 年降水量近 800 mm,汛期雨水充沛,并与冬灌相连,促成了地下水与明水再次回升。以冯家山灌区为例,1979 ~ 1986 年 7 年间,灌区平均水位上升 4.85 m,年平均上升 0.69 m,上升区大于 0.5 m 的面积达 940 km²,占总面积 92%;上升值大于 3 m 的面积约 40 km²,占上升区 42%。其中岐山—扶风一些地区水位上升达 13 m,个别井水位上升达到 28.82 m。

20 世纪 80 年代后至 90 年代初期,人们从大水漫灌的粗放式灌溉中吸取教训,在加强输水设施完善配套工程的同时,改进田间灌水技术,推行大畦改小畦、长沟改短沟、漫灌改块灌的灌溉技术,并在灌区采取打井以及修建排水渠等措施,从而使地下水水位与 80 年代初期相比有所下降。

20 世纪 90 年代,区内进入连续枯水期,如 1995 年与 1997 年关中降水量分别只有

413.3 mm 和 375.4 mm,灌溉引水量减少,同时随着喷灌等先进节水灌溉技术的进一步推广以及地表水水价的提高,灌区农民又出现打井高潮,实行地表水地下水联合开发,井渠结合模式起了主导作用,有效地控制了地下水位的上升,使 90 年代后期地下水位出现大幅度下降(如图 4-1-11 所示)。

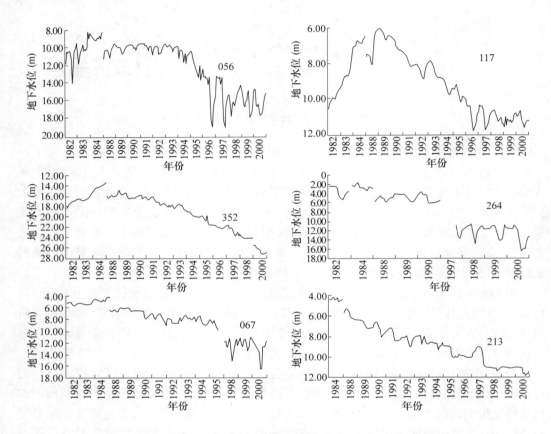

图 4-1-11　关中六大灌区典型地下水位动态观测孔历史曲线图

4.1.2　承压水动力场时空演化

区内承压水开采主要在宝鸡市、咸阳市、西安市和渭南市等城市供水水源地和部分工矿企业自备井。由于长期超量开采,导致承压水位持续下降,形成降落漏斗,各主要开采区地下水动力场演化的基本规律和特点如下:

宝鸡市城市供水水源地主要开采第三系灞河组上部的浅层承压水。由于长期超量开采,引起浅层承压水动力场的变异,其演化经历了 7 个阶段(如表 4-1-1 所示)。从水动力场演化过程来看,水动力场变化主要受人工开采和气象的综合影响,在人为影响小于气象因素时,水动力场随气象变化而变化,在人为影响大于气象因素时水动力场随人为影响而变化。

表 4-1-1　宝鸡市浅层承压水动力场变异特征

阶段	日开采量（10^4 m³/d）	阶段内平均降水量（mm）	阶段内平均降水量与多年平均降水量相比	水动力场变化特征与发展趋势
1962 年以前	< 1			人类活动影响较小，承压水头接近地表，局部地段水头高出地面，水动力场基本处于天然状态。地下水由西向东径流
1967 年	1.4	701.2	大于多年平均降水量6%	市区、福临堡、姜潭水源地相继建成，开采量增加，形成以 385 m 水头等值线圈定的地下水降落漏斗，水动力场开始变异，但地下水总体仍由西向东径流
1974 ~ 1979 年	10.26 ~ 15.6	652.1	为多年平均降水量的98.6%	姜潭、十里铺、石坝河、市区、福临堡等水源地已初具规模，开采量迅速增加，地下水普遍下降，在区内形成以水源地为中心的漏斗区，漏斗向南、西、北三个方向发展，局部地段越过渭河。1974 年以 575 m 水头等值线所圈定的漏斗面积已达到 21.75 km²，至 1979 年以 570 m 等水头线圈定的漏斗面积已达到 27.5 km²，为水动力急剧变化阶段
1980 ~ 1984 年	15.6 ±	811.9	大于多年平均降水量21.7%	开采量比较稳定，降水量增加，地下水呈上升趋势
1985 ~ 1988 年	17.14	634.8	为多年平均降水量的95.1%	六大水源地降落漏斗基本形成，且在不断加深扩大，1985 年以 560 m 等水头线圈定的漏斗面积达 28.45 km²
1989 ~ 1990 年	18.04	739.8	大于多年平均降水量10.8%	由于下马营水源地、姜城水厂水源地投产和下马营、卧龙寺、市区水源地超量开采，漏斗继续扩大，1989 年以 560 m 等水头线圈定的漏斗面积达 45.13 km²。区域漏斗连成一片
1991 ~ 1996 年	18.96 ~ 20.67	571.4	为多年平均降水量的85.6%	区内连续干旱少雨，各水源地继续超采，区域降落漏斗继续扩大、加深，出现邻近漏斗的相互连接与合并。至 1994 年 560 m 等水头线圈定的漏斗面积达 50.35 km²，1996 年以 555 m 等水头线圈定的漏斗面积达 59.8 km²

咸阳市城市大规模开采中下更新统冲湖积承压水始于 20 世纪 80 年代以后,随着城市段工矿企业水源地相继建成,开采量逐年增加,区域水位持续下降,至 1985 年承压水开采量已达到 $20.33 \times 10^4 \, \text{m}^3/\text{d}$,从而形成以市建城区为中心的跨渭河漏斗基本上波及整个咸阳市区以西地区,而在市建城区东南与西安市西北郊水源地相连,区域漏斗已初具规模,但各漏斗基本上独立发展,面积 $1.2 \sim 20.0 \, \text{km}^2$,漏斗降深 $2.12 \sim 12.31 \, \text{m}$。嗣后,随着开采量的逐年增加,对应开采区降落漏斗不断向横向扩展、纵向加深的趋势发展(如图 4-1-12 所示),到 1990 年全区承压水开采量增加到 $23.99 \times 10^4 \, \text{m}^3/\text{d}$,漏斗进一步发展,各漏斗面积为 $2.0 \sim 36.0 \, \text{km}^2$,漏斗深 $2.99 \sim 19.9 \, \text{m}$;至 1995 年开采量达到 $27.98 \times 10^4 \, \text{m}^3/\text{d}$,加之区域降水量减少,漏斗中的水头及边缘水头普遍下降,漏斗分水岭变窄,逐渐向连成一片趋势发展。区域漏斗的形成改变了承压水天然状态下在渭河北岸从西北向东南流动以及南岸从西南向东北流动的格局,引起地下水补排关系的变化。

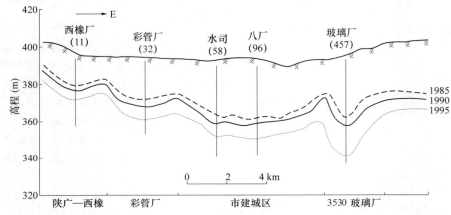

图 4-1-12 咸阳市承压水开采漏斗剖面演化图(陕西省地质环境监测总站,1997)

西安地区承压水开采主要是城郊自备井开采区和长安县地区,同时一些集中供水水源地也开采部分承压水。通过长期监测,区内承压水动力场变化主要受人工开采和大气降水影响,其水动力场时空演化特征为:受人工开采影响,承压水自秦岭山前向西北方向径流,至城郊自备井开采区和集中供水水源地流向发生变化,由四周向漏斗中心汇流。长安县地区有 204 眼井,以分散间歇式开采 $70 \sim 200 \, \text{m}$ 深度浅层承压水,开采量一直维持在 $2\,550 \times 10^4 \, \text{m}^3/\text{a}$ 左右,通过对 1986、1990 年及 1995 年流场分析,水动力场变化只是同一标高的水头等压线在逐渐向上游迁移;西安城郊自备井开采区从 20 世纪 50 年代 2 口自备井增加到 90 年代 500 余口,开采量从 $77.2 \times 10^4 \, \text{m}^3/\text{a}$ 剧增到 $11\,223.75 \times 10^4 \, \text{m}^3/\text{a}$,而开采资源只有 $6\,960.36 \times 10^4 \, \text{m}^3/\text{a}$,由于长期超量开采,承压水下降速率从 50 年代的 $0.5 \sim 0.8$ m/a 发展到 90 年代的 5 m/a 左右,最大速率达到 10 m/a,流场不断向外扩张和垂向加深,如 1986 年承压水头标高 360 m 等压线形成的封闭漏斗面积达 133 km^2,中心区水头埋深 $105.86 \sim 108.17$ m。$1986 \sim 1990$ 年平均降水量为 550.9 mm,较 $1986 \sim 1995$ 年 10 年平均降水量 519.1 mm/a 多 31.8 mm/a,而在此期间承压水开采量逐年增加,由 1986 年的 $9\,979.1 \times 10^4 \, \text{m}^3$ 增加到 1990 年的 $11\,223.75 \times 10^4 \, \text{m}^3$,每年增加开采量在 $248.93 \times 10^4 \, \text{m}^3$,使 1990 年降落漏斗面积(360 m 水头标高)扩大为 154 km^2,中心区水头下降 $12.75 \sim 14.85$ m,边缘地带水头下降 0.51～6.07 m(如图 4-1-13 所示)。1990 年西安市实现引黑河水源1 047.2×10⁴ m³,之后逐年增加,到 1995 年引水量为 6 712.1×10⁴ m³。同期城郊区也逐步停开部分深井,限制其开采量,由 1991 年的 10 212.7×10⁴ m³ 逐年减少到 1995 年的 7 811×10⁴ m³,每年减少开采量平均为 480.34×10⁴ m³,而同期降水量平均为 487.3 mm,较 1990～1995 年 5 年平均降水量减少 63.6 mm,尤其是 1995 年降水量只有 312.2 mm,使得全区承压水水头普遍下降,降落漏斗(360 m 水头标高)范围扩展到 234.75 km²,为 1986 年的 1.7 倍,中心区水头下降 17.09～19.34 m,边缘地带水头下降 6.07～12.2 m,均较前期下降幅度大。西安市集中开采承压水的水源地地下水位也处于持续下降阶段,但降落漏斗以横向扩展、纵向加深的趋势独立发展。

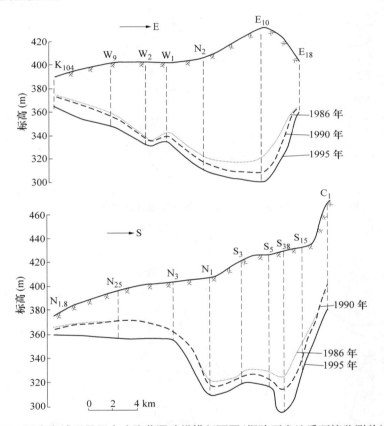

图 4-1-13　西安市城区承压水头降落漏斗纵横剖面图(据陕西省地质环境监测总站,1997)

　　渭南市承压水按埋藏条件可分为浅层承压水、中层承压水和深层承压水。浅层承压水主要分布于渭河漫滩区,隔水顶板较薄,具弱透水性且潜水位高于浅层承压水头,承压水接受潜水的越流补给。降雨及河水间接影响承压水头变化,但其幅度远小于潜水。其动态特征与潜水相似,近河地区以河水影响为主,远离渭河以降雨影响为主。中层承压水主要分布于漫滩及一级阶地区,其水动力场主要受开采和降雨的影响。近几十年来由于受开采与降雨的双重影响,区域中层承压水位自从 1985 年以来总体呈波状持续下降态势,其中 1985～1990 年以波状缓慢下降为特征,年下降速率约 0.47 m/a;1990 年以后,开采型动态特征明显,几乎在每年夏季用水高峰期均出现水头低谷期,秋冬季节水头虽有回升,但远达不到年初水头高度,整体水头下降速度达 0.83～0.94 m/a。目前已形成以市区为中心的降落漏斗,面积达 33 km²,从而改变了中层承压水的天然流场,流向自西向东、南东东逐渐转向南东及向南流动(如图 4-1-14～图 4-1-16 所示)。

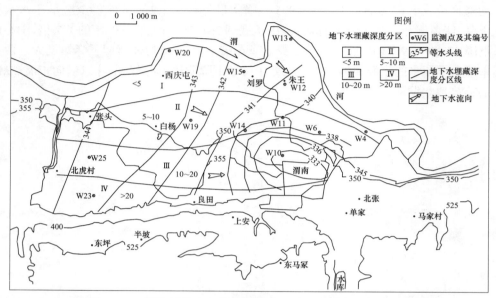

图 4-1-14　渭南城区中层承压水等水头线及埋深图(1986 年 5 月)

(据陕西地矿局第二水文地质工程地质队,1998)

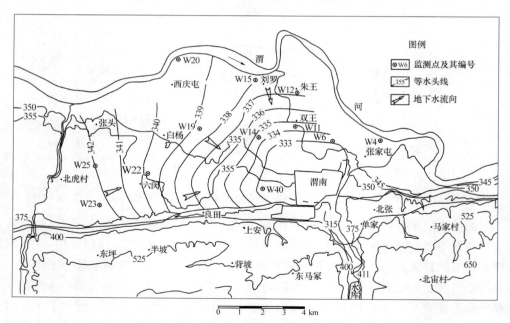

图 4-1-15　渭南城区中层承压水等水头线及埋深图(1992 年 11 月)

(据陕西地矿局第二水文地质工程地质队,1998)

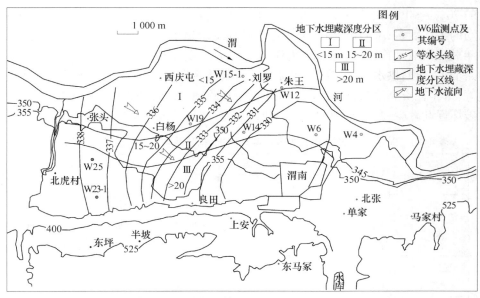

图 4-1-16　渭南城区中层承压水等水头线及埋深图(1995 年 11 月)

(据陕西地矿局第二水文地质工程地质队,1998)

4.2　地下水动力场演化的环境效应

地下水动力场演化的环境效应主要表现在由于地下水位的上升和下降导致一系列环境问题的产生与加剧。

4.2.1　引起地面沉降,加剧地裂缝的活动

开采地下水所引起的区域下降漏斗,引起地面沉降产生,加剧地裂缝的活动。

地下水过量开采,导致地下水位持续下降,形成区域降落漏斗。据陕西省地质环境监测总站资料,开采地下水已在西安、咸阳、渭南、宝鸡等城市供水水源地形成区域下降漏斗(如表 4-2-1 所示)。虽然 2003 年降水量普遍较上年有所增加,西安、宝鸡等城市控制地下水开采,采取了封井等限制地下水开采量措施后,地下水位多年持续下降趋势得到了缓解,但目前许多漏斗仍然向纵深方向发展,其中潜水水位年平均下降 0.06～2.26 m,承压水水头年平均下降 0.15～5.62 m。

地下水位持续下降,尤其承压水水位下降诱发了地面沉降产生,加剧了地裂缝活动。西安市地面沉降始于 20 世纪 50 年代末,1981 年平均沉降量 24.77 mm,1983 年累积沉降量 777 mm,面积发展到 181 km²,1995 年累计最大沉降量已达 2 308 mm(西影路),沉降范围波及 200 km²。截止 2000 年,西安市由于地下水位下降诱发的地面沉降累计超过 200 mm 的面积为 150 km²,其中超过 1 000 mm 的面积为 42.5 km²。另外,虽然西安地裂缝的展布及活动特征应属构造运动所致,但近年加剧活动是由于承压水超量开采、水头下降引起地裂缝两侧地面不均匀沉降作用产生的垂直分量叠加而成的。据计算,后者占地裂缝活

动量的 70%~90%，由此可见，过量开采承压水导致水头下降，产生地面沉降是加剧地裂缝活动的主要因素；咸阳市、渭南市等也不同程度地出现地面沉降与地裂缝问题，咸阳市1987 年就出现有地面沉降，现在已达到 5~25 mm。西安市、咸阳市区由于地裂缝活动造成道路变形，错断供水、供气管道，毁坏地面建筑物及跨地裂缝带建筑物设施采用的防护处理等，每年耗资高达数百万元。近几年由于在跨地裂缝带的管道口处采用了柔性结构，管网破坏逐渐减少，2001 年地裂缝错断供水管道 2 处，造成直接经济损失 5 万元。

表 4-2-1　关中盆地 2003 年大中型水源地状况（据陕西省地质环境监测总站，2004）

所在市	水源地名称	含水层类型	地下水开采量(万 m³/a)		漏斗中心地下水位(m)		漏斗变化原因
			开采量	与上年比较	埋深	与上年比较	
咸阳市	沈家水源地城区	潜水	15 885	+95.0	14.02~22.7	降低 0.26~1.38	超量开采
		浅层承压水			29.87~35.5	降低 1.15~1.87	超量开采
		深层承压水			27.47~34.8	降低 0.19~2.25	超量开采
渭南市	城区 2 个水源地	潜水	8 270	+1 729	18.61	降低 0.22	超量开采
		浅层承压水			18.73	降低 0.12	超量开采
	秦电水源地	潜水			5.69	上升 0.12	减量开采
	陕化水源地	潜水				0.0	减量开采
宝鸡市	姜潭水源地	承压水	4 526.0	−288.6	66.48	上升 5.69	减量开采
	石坝河水源地	承压水			55.74	上升 7.72	减量开采
	下马营水源地	承压水			17.92	上升 3.50	减量开采
	卧龙寺水源地	承压水			16.51	上升 1.64	减量开采
	十里铺水源地	承压水			36.42	上升 9.01	减量开采
	斗鸡台地区	承压水			39.04	上升 5.19	减量开采
	市区水源地	承压水			63.56	上升 3.89	减量开采
西安市	渭滨水源地	潜水	9 756.47	−1 299.25	3.12	降低 0.06	超量开采
		承压水			18.04	降低 1.25	超量开采
	灞河水源地	潜水			25.12	降低 2.46	超量开采
		承压水			36.67	降低 5.62	超量开采
	沣皂河水源地	潜水			26.04	上升 1.39	减量开采
		承压水			34.00	降低 1.79	超量开采
	城郊区	潜水			6.93	降低 2.26	
		承压水			67.85	降低 1.01	

注："+"为增加，"−"为减少。

4.2.2　诱发滑坡崩塌

灌区引地表水灌溉，采补失调，地下水位上升，引起地面渍水，诱发滑坡、崩塌等地质灾害。

关中盆地渭北灌区，由于包气带和含水层多为垂向节理发育的黄土层，曾于 20 世纪

70 年代初至 90 年代中期,在泾惠、冯家山、宝鸡峡等灌区大量引地表水灌溉。采补失调,地下水动力场变异,引起地下水位上升,地下水位接近地表,在塬面洼地、土壕等地形低洼处多处形成地面渍水,积水深度 2～5 m,导致部分村庄宅基土体含水量达到饱和、强度降低,房屋倒塌,公路多处因明水浸泡使路基路面变形。与此同时,黄土台塬地下水位上升,坡边斜坡地带地下水水力坡度加大,导致斜坡稳定性降低,诱发了多处滑坡、崩塌等地质灾害的发生。图 4-2-1 显示了冯家山灌区自 20 世纪 80 年代以来地面渍水面积变化趋势。

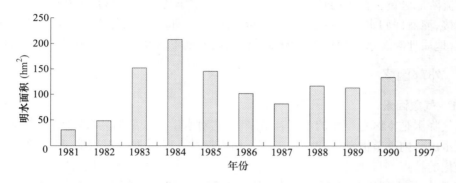

图 4-2-1　冯家山灌区自 20 世纪 80 年代以来地面渍水面积变化趋势

2004 年夏秋以来区内雨水较多,叠加灌溉,又出现地下水位上升,据作者 9 月份实际考察,在岐山县益店镇等地势低洼处又出现地面渍水迹象。由此可见,实施地表水和地下水联合开发,是减少因地下水动力场变化引起的环境负效应的关键。

4.2.3　地下水位上升、下降,造成水质恶化

地下水位上升,造成包气带厚度变薄,引起地下水质恶化,这种情况主要表现在灌区;地下水水位下降,引起劣质水入侵,造成水质恶化,这种情况主要表现在城市供水水源地。具体论述详见第 5 章。

4.3　影响地下水动力场演化的因素分析

关中盆地地下水动力场时空演化规律是地质地貌、水文地质条件等内在因素和气象、水文以及人类活动等外部因素共同作用的结果。前者控制着区域地下水动力场空间展布规律和不同水文地质单元演化速率的差异性,后者影响着水动力场演化的进程。

4.3.1　内在因素

受地形地貌及水文地质条件控制,天然情况下区域潜水径流方向基本与盆地倾斜方向一致,即由盆地的山前地带向盆地中心偏向下游方向运动,最终排泄于渭河。以泾河为界,盆地西部地形坡度大,径流通畅,以水平径流为其主要排泄方式;东部由于地形变缓,含水层颗粒细,地下水径流滞缓,水力坡度仅为 1‰～0.5‰,以垂直蒸发和水平径流为其主要排泄方式。秦岭山前洪积扇区,包气带岩性透水性强,有利于河水及降水入渗,地下

水对河水及降水输入响应比较敏感,年内变幅大,储存调节功能强;而北山山前洪积扇区沉积物颗粒较细,含泥量大,黏土夹层较厚,含水层在东西方向上多呈透镜体断续分布,补给条件差,地下水位对外部激励的响应较秦岭山前要弱一些。黄土台塬区因包气带多为疏松、具大孔隙垂直裂隙发育的马兰黄土及离石黄土,且垂向渗透系数为水平渗透系数的4~6倍,水平径流不畅,蓄水能力相对较强,当地下水补给量大于排泄量时,容易引起地下水位上升。而渭河阶地一些灌区,同样引地表水灌溉,阶地区地下水位变化不大,这是因为河流阶地区黄土覆盖层只有 10 m 左右,黄土之下为完整的砂层或砂砾石层,同渭河河床连接,灌溉回归水排泄畅通,尽管不断灌溉,地下水位变化要比黄土塬区相对小。由此可见,地质地貌及水文地质条件的差异性控制着地下水动力场变化速率的差异性。

4.3.2 外部因素

4.3.2.1 气象因素

大气降水是本区地下水的主要补给来源,它对水动力场影响具有区域性,其地下水位响应显示出年内季节波动性和多年丰、平、枯周期性。长系列资料表明,区内降水有丰枯周期变化的特点。自 20 世纪以来,区内出现过数次干旱和丰水时段,20 世纪 20 年代至30 年代末为干旱枯水期,历时近 20 年,其中 1928~1932 年连续五年大旱;40 年代中期至50 年代初为丰水期;50 年代初至 70 年代末的 30 多年间,丰枯交替出现,丰水年份有 15年,为平水时段;1980~1985 年为丰水时段;1986~1999 年 14 年间又出现了连续干旱,在此期间关中降水量超过多年平均值的仅 2 年(如图 4-3-1 所示)。受此影响,关中盆地地下水位也随着降水变化而变化,如 1980~1985 年区内地下水位普遍呈上升趋势,这与 1980~1985 年丰水时段相吻合,1986~1999 年连续干旱,区内地下水位呈波状下降趋势,下降区达 7 000 km²(区内地下水监控面积 20 440 km²),水位降幅 0.5~10.4 m,平均 4.5 m 左右,以此估算,期内共减少地下水储量 20×10^8 m³,平均为 1.43×10^8 m³/a。同时区内各集中供水水源地均由于入不敷出,导致水头呈波状下降。

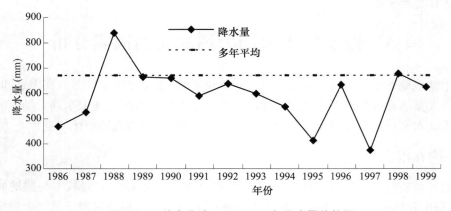

图 4-3-1 关中盆地 1986~1999 年降水量趋势图

4.3.2.2 水文因素

水文因素对地下水位影响往往发生在沿河一带,具有局部性。河川径流量的多少,主要取决于流域内降水量和下垫面条件。降水量是地表水的直接来源,下垫面是造成损失量的主要因素。径流资料表明,受降水及人为活动影响,渭河及其支流自1986年以来,径流量均有明显的减少,但径流量的减少远比降水减少剧烈。关中盆地本时段降水年均值为多年平均的89.6%,而同期年均径流量仅为多年平均值的74.7%;渭河上游甘肃段90年代年降水比多年平均减少了11%,而径流量减少了32.5%,年径流量的变化与降水很不协调。由此表明,河川径流量减少,除了降水偏枯外,还与上游大量引水、人类工程活动、灌区地下水位下降等因素叠加有很大关系。河川径流量减少,改变了河水与地下水循环规律与交替速率,出现了傍河水源地降落漏斗加深、扩大的水动力场变化特征。

4.3.2.3 人为因素

人为因素对地下水动力场影响主要包括开采和引水灌溉。如果没有人类活动的叠加,地下水动力场的演化是极其缓慢的。人类活动对地下水系统施加强烈的作用后,使系统内部状态发生改变,如流场由天然状态变为人工干扰流场,水位变幅加大,流向改变,流速增大,集中表现在水位的时空变化上。集中开采区开采强度是制约系统响应程度的主要因素,随着开采量的不断增加,系统响应程度也相应增加,致使水位下降,且波及面广和年变幅加大。前述集中开采区降落漏斗不断向横向扩展,纵向加深的趋势发展充分说明开采量已超过了补给量。灌区地下水位变化除了与降水等因素有关外,主要受控于地表水灌溉量、地下水开采量以及灌溉方式等。如宝鸡峡与冯家山灌区灌溉之前,地下水位的年际变化很小,民井水位几十年甚至几百年以来无多大变化。但是在两大灌区大面积灌溉后,由于大量引地表水灌溉以及不合理的灌水定额、灌水方式和渠道渗漏,促使地表水渗入地下,增加了地下水的补给量,且丰水年降雨与灌溉交错叠加,而开采量很小,使地下水采补失调,引起地下水水动力场的变异。

综上所述,关中盆地地下水动力场演化是水文地质条件、人类活动强度与方式、气象、水文因素综合作用的结果。

4.4 变异条件下地下水动力场演化预测

4.4.1 变异因子的识别

以古都长安为中心辐射的关中盆地,数千年来一直是我国文明发达地区。在长期的生产实践中,地下水一直受到重视和开发,但在20世纪50年代以前,由于生产力低下、工农业落后,地下水资源限于饮用或小规模灌溉以及部分具有医疗矿泉水的开发利用上,仅在人群聚居区的周围受人类轻微影响,区域基本上保持天然状态。伴随20世纪30年代泾惠渠、渭惠渠等水利工程的兴建,以及50年代末60年代初水利化大幅度发展,地下水开发利用也随之加大,机井数量也不断增多,地下水开采也从浅层水向深层水方向发展。与此同时,西安、咸阳、渭南、宝鸡、兴平等城市相继建市和发展,工业和城市用水急剧增加,地下水开采量猛增。人类活动在取得正效益的同时,也对地下水系统产生了强烈的影响,引起地下水水动力场和水化学场的变异。同时,也诱发了一系列环境地质问题,影响着人类的生存环境。

另外,受人类活动释放的环境物质的影响,区内地下水的水质均受到不同程度的污染,其中潜水污染重于承压水,平原区重于山区,城市重于农村。人类释放的环境叠加到天然水化学场中,使地下水水化学场发生变化。

对关中盆地 1470～1989 年 520 年气候史料的分析表明:关中历史上曾有过 5 次特大干旱期:第一个干旱期是 1635～1641 年持续 7 年的严重干旱期。这个干旱期,从 1627 年起,关中、陕北先旱,持续了 8 年,到 1635 年干旱发展到全省,一直持续到 1640 年,形成了全省特大干旱期。1639 年铜川县志记载:"铜川大旱,自正(2)月至七(8)月,岁大饥,斗米一两,人相食。"据 1640 年史料记载:"陕西,秋,全陕大旱饥,十(11)月,粟价腾踊,日贵一日,斗米三钱,至次年春十倍其值,绝粜罢市,木皮石面皆食尽,父子夫妇剖啖,通馑相望,十亡八九。"

第二个干旱期是 1875～1878 年持续 4 年的严重干旱期。1877 年史料记载:"秦晋历冬经春及交不雨,赤地千里,秦晋吡连,人相食,为百余年未有之奇","关中地区,无雨异常,麦苗枯萎,秋稼间有种者,率苦蝗害,泾渭及涸,岁无所得,粮价腾踊,穷民无所食","人相食,至四年交,饿死者三之二"。

第三个干旱期是 1927～1930 年持续 4 年的严重干旱期,也就是人们说的"民国十八年大旱灾"。这个干旱期持续虽然不长,但干旱强度很大。据《陕西省自然灾害史料》记载:"关中八百里秦川自 1927 年开始至 1930 年发生了持续 4 年的大旱,对关中地区农业生产危害极为严重。西安地区 1928 年全年的降水量仅为 240 毫米,只有降水量的三分之一。"1928 年陕西省赈灾会刊称:"陕西自春至秋,滴雨未沾,井泉涸竭,泾、渭、汉、褒诸水,平时皆通舟楫,今年春间断流,车马可由河道行","春秋收成不到二成,饥民遍野"。在此次旱灾中,死人三十万,损失严重。

第四个干旱期是 1959～1961 年发生的特大干旱期,干旱期为 3 年,也就是"三年困难时期"。据有关部门提供的资料:1959 年关中地区发生了春秋连旱,干旱持续 130 天左右,仅为常年降水量的 10%。干旱强度很大,灾情严重。据关中 34 县市 7 月底统计,秋田受旱面积 123.8×10^4 hm²,占秋田面积的 55%,受旱棉田 19.3×10^4 hm²,占棉田总面积的 96%。

第五个干旱期是 1986～1999 年 14 年间出现的连续干旱,在此期间关中降水量超过多年平均值的仅有 2 年。尤其是 1995～1997 年出现为期 3 年的特大干旱期,据"陕西省减灾协会"提供的资料称:"1996 年陕西发生大干旱,全省 80% 以上地区降水量比常年偏少 3～9 成。其中关中地区比特大干旱的 1995 年还低 2～4 成。干旱造成水源严重不足,全省有 625 条中小河流断流,400 座中小型水库干涸,4.6 万眼机井吊空或出水不足。作物受害面积达 3 300 万亩,占秋田总面积的 90% 以上,成灾面积 2 000 多万顷,全年有 778.87 万农作物干枯绝收。310 多万人、120 万头大家畜饮水困难。30 个县城供水严重不足。一些企业因缺水被迫停产。"

综上所述,关中盆地可把人类活动(包括灌溉、集中开采和污染)、气候为特大干旱、持续时间 5 年且降水量 240 mm(1928 年西安)和持续 5 年干旱且降水量 375.4 mm 作为变异条件来分析对地下水影响。

4.4.2 地下水动力场演化预测

为了分析持续干旱情况下对地下水动力场的影响,现以 1998 年 1 月的地下水位作为初始流场,保持现状开采量不变(以 1998 年为基准)的情况下预测在连续 5 年遭遇特枯年且降水量分别为 240 mm 和 375.4 mm 时地下水流场的变化。上述两种情况历史上曾经出现过,具有一定代表性。

4.4.2.1 连续 5 年遭遇特枯年且降水量为 240 mm 条件下的动力场演化预测

根据建立的数值仿真模拟模型,利用 GMS 软件预测连续 5 年遭遇连续干旱且降水量为 240 mm 的潜水流场如图 4-4-1 所示,典型观测孔地下水降深场如图 4-4-2 所示,观测孔地下水位降深场变化曲线如图 4-4-3 所示。

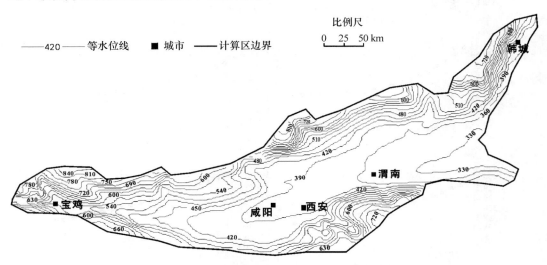

图 4-4-1 全年降水量为 240 mm 时模型运行 5 年后流场图

图 4-4-2 240 mm 模型运行 5 年后的降深场

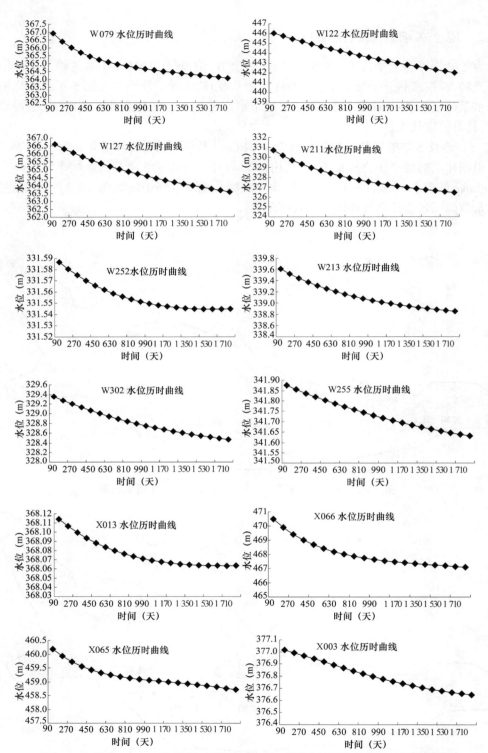

图 4-4-3　全年 240 mm 降水量时模型运行 5 年观测孔地下水位降深场变化曲线

以全年 240 mm 降水量的极枯年份作为变异条件时,其余源汇项均采用 1998 年的各源汇项,预测 5 年以后全区的流场,结果表明:与初始流场相比,地下水位均有不同程度的下降,其中,凤翔—礼泉黄土台塬区、漆水河以东,降深为 10～20 m,最大降深约为 25 m;漆水河以西,下降 10～15 m,最大降深为 35 m;宝鸡—咸阳低阶地地下水下降较小,为 1～5 m;宝鸡—户县低阶地地下水位下降 5～10 m,三原—合阳黄土台塬地下水位下降 1～20 m,最大下降约 25 m,出现在洛河以东;泾阳—大荔低阶地、西安—华阴低阶地降深较小,为 1～5 m;长安—潼关黄土台塬地下水位降深在 5～15 m,最大降深约为 35 m,分布于长安黄土塬区。

4.4.2.2 连续 5 年遭遇特枯年且降水量为 375.4 mm 条件下的动力场演化预测

根据建立的数值仿真模拟模型,利用 GMS 软件预测连续 5 年遭遇连续干旱且降水量为 375.4 mm 的潜水流场如图 4-4-4 所示,典型观测孔地下水降深场如图 4-4-5 所示,观测孔地下水位降深场变化曲线如图 4-4-6 所示。

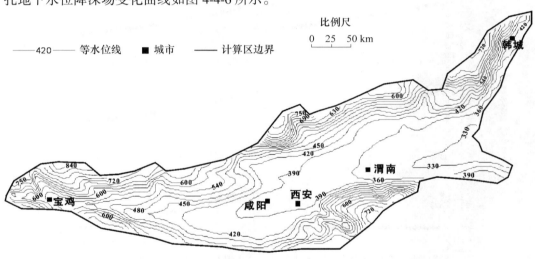

图 4-4-4　按全年降水量 375.4 mm 模型运行 5 年后流场图

图 4-4-5　按全年降水量 375.4 mm 模型运行 5 年后的降深场

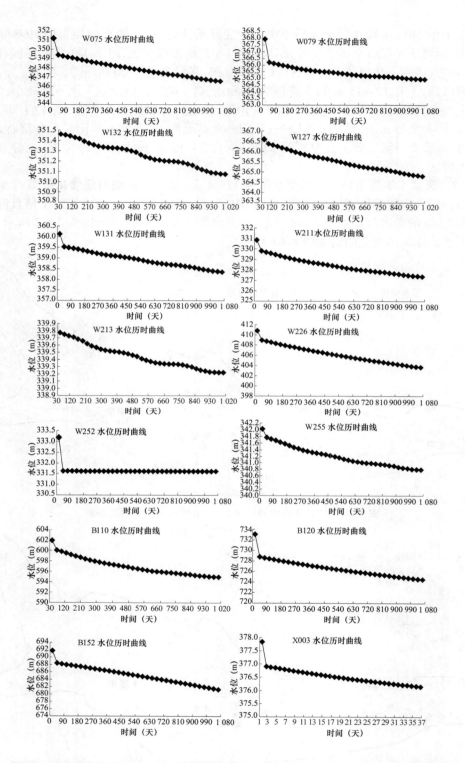

图 4-4-6　按全年降水量 375.4 mm 模型运行 5 年典型观测孔地下水位降深场变化曲线

以 1997 年降水量 375.4 mm 作为变异条件时,其余源汇项均采用 1998 年的各源汇项,预测 5 年以后全区的流场,预测结果表明:与初始流场相比,地下水位均有不同程度的下降,其中,凤翔—礼泉黄土台塬区、漆水河以东,降深为 5 ~ 15 m,最大降深约为 25 m;漆水河以西,下降 5 ~ 15 m,最大降深为 25 m;宝鸡—咸阳低阶地地下水下降较小,为 1 ~ 5 m;宝鸡—户县低阶地地下水位下降 5 ~ 10 m,最大降深 15 m,宝鸡—周至降深为 1 ~ 5 m,最大 15 m;三原—合阳黄土台塬地下水位下降 1 ~ 15 m,最大下降约 25 m,出现在洛河以东;泾阳—大荔低阶地、西安—华阴低阶地降深较小,为 1 ~ 5 m;长安—潼关黄土台塬地下水位降深为 5 ~ 15 m,最大降深约为 30 m,分布于长安黄土塬区。

第5章 浅层地下水化学场演化

5.1 天然水化学场演化特征

关中盆地地下水水化学场的时空演化是自然因素和人为因素相互作用的结果。前者受地质、地貌、水文地质条件和气象、水文等自然因素的制约,在统一相互联系的水动力场驱动下,地下水中的化学组分与其围岩介质发生溶解、氧化还原、交替与吸附以及积累、迁移、分异等作用,形成了区域地下水地球化学场的分布总体规律,它是一种缓慢的、渐变式的演化;后者受人类活动影响,在自然演化的基础上叠加了人类活动的干扰。当人类活动或自然因素发生变异,引起地下水埋深条件和水动力场变化超过一定限度后,将促进地下水化学环境在不同时空尺度上演变,甚至发生突变,以至对生态环境产生影响。

5.1.1 空间演化特征

5.1.1.1 水化学类型空间分布特征

现以 2001 年 1~2 月课题组在关中盆地采集的 232 个浅层地下水水样为依据,按照舒卡列夫方法对地下水化学类型进行分类,全区共分成 13 种水化学类型,其中 HCO_3 型占 63%,SO_4 型占 9.6%,Cl 型占 0.17%,$HCO_3 \cdot SO_4 \cdot Cl$ 型占 5.6%,$HCO_3 \cdot SO_4$ 占 15.2%,$HCO_3 \cdot Cl$ 型占 2.6%。

1)$HCO_3 - Ca(Ca \cdot Mg)$ 型
主要分布于漆水河以西地区及渭河以南山前洪积扇区。

2)$HCO_3 - Na(Na \cdot Mg)$ 型
主要分布于乾—礼—兴—咸黄土台塬及泾河以东的北山山前洪积扇区。此外,西安草滩镇、富平刘集、临潼零口镇、合阳百良镇也有零星分布。

3)$HCO_3 \cdot SO_4 - Mg \cdot Na(Ca$ 或 $Mg \cdot Ca)$ 型
主要分布于渭北泾河以东河漫滩、洛河黄河交汇处及渭河南岸沣河以东的河谷阶地。此外,眉县及附近地区,礼泉县店张镇—北社、泾阳兴隆乡、富平流曲镇—蒲城池阳一带也有分布。

4)$SO_4 \cdot HCO_3 - Na(Ca$ 或 $Na \cdot Mg)$ 型
以面状形式分布于渭北蒲城县附近,环状分布于渭南固市镇、官道镇周围,点状分布于长安县严家渠、泾阳寨头村、蒲城陈庄、潼关县港口镇。

5)$HCO_3 \cdot Cl - Na \cdot Mg$ 型
以环状形式分布于卤泊滩、渭北固市镇、田市镇周围及大荔县两宜镇,点状分布于高陵县崇皇寺。

6）$Cl \cdot HCO_3 - Na \cdot Mg(Na \cdot Ca)$型

以点状形式分布于宝鸡县、扶风县法门镇、乾县阳洪乡。

7）$HCO_3 \cdot SO_4 \cdot Cl - Na \cdot Mg(Na \cdot Ca$ 或 Na 或 $Ca)$型

主要分布于渭北泾河以东河谷阶地的大部分地区。

8）$SO_4 \cdot HCO_3 \cdot Cl - Na(Na \cdot Mg)$型

以点状形式分布于泾阳县三渠乡、临潼县新辛镇、蒲城甜水井乡和兴镇，临潼槐李村。

9）$Cl \cdot HCO_3 \cdot SO_4 - Ca$ 型

仅分布于大荔西高明。

10）$SO_4 \cdot Cl \cdot HCO_3 - Na \cdot Mg$ 型

仅分布于三原县西阳镇。

11）$Cl \cdot SO_4 \cdot HCO_3 - Na \cdot Mg$ 型

仅分布于渭南信义。

12）$SO_4 \cdot Cl - Na(Na \cdot Mg)$型

分布于卤泊滩及蒲城荆姚镇至椿林镇一带、渭南田市、东斜、辛市附近，此外宝鸡青溪乡、泾阳桥底镇、富平县也有零星分布。

13）$Cl \cdot SO_4 - Na \cdot Mg(Mg \cdot Na)$型

分布于卤泊滩及渭南南七乡及宝鸡青溪乡。

从以上可以看出：$HCO_3 - Ca(Ca \cdot Mg)$型水主要分布于渭河以南秦岭山前地区及渭北漆水河以西地区；$HCO_3 - Na$ 型水主要分布于渭北北山山前地区及漆水河—泾河河间地块；$HCO_3 \cdot SO_4 - Na(Ca \cdot Na \cdot Mg$ 或 $Na \cdot Mg$ 等）型水主要分布于西安市、户县及泾河以东渭河沿岸；$HCO_3 \cdot SO_4 \cdot Cl(Na \cdot Mg)$型水主要分布于渭北泾河以东的大部分地区；$SO_4 \cdot Cl - Na$ 或 $Cl \cdot SO_4 - Na$ 型水则主要分布于卤泊滩及渭南市部分地区。总体来看，关中盆地浅层地下水化学类型渭河以南及渭北泾河以西较为单一，泾河以东水化学类型复杂。并且自西向东水化学类型逐渐由单一变得复杂，依次为 $HCO_3 - Ca(Ca \cdot Mg)$、$HCO_3 - Na$、$HCO_3 \cdot SO_4 - Na$（$Na \cdot Mg$ 或 Ca）、$HCO_3 \cdot SO_4 \cdot Cl - Na \cdot Mg$、$SO_4 \cdot Cl - Na \cdot Mg$ 或 $Cl \cdot SO_4 - Na \cdot Mg$，具明显分带性；至洛河以东又稍有简化。盆地边缘水化学类型一般为 $HCO_3 - Ca(Ca \cdot Mg)$、$HCO_3 - Na$ 型，较为单一；至盆地中心，水化学类型逐渐过渡为 $HCO_3 \cdot SO_4 - Na(Na \cdot Mg$ 或 $Na \cdot Ca \cdot Mg$ 或 $Ca)$，直至 $HCO_3 \cdot SO_4 \cdot Cl$ 型、$Cl \cdot SO_4$ 型等复杂的水型。由此可见，无论从盆地边缘至盆地中心，还是自西向东，关中盆地浅层地下水水化学类型均呈明显水平分带性规律。

5.1.1.2　矿化度空间分布特征

根据 A.B.谢尔巴科夫(1962)分类标准，由矿化度等值线图（附图1）可以看出，关中盆地浅层地下水矿化度大多为小于 1 g/L 的淡水，只有在潼关县北歇马、华阴县苗家和卤泊滩党睦镇出现矿化度小于 0.2 g/L 的超淡水和大于 10 g/L 的咸水；$1 \sim 10$ g/L 的盐化水主要分布于渭北泾河以东的河谷阶地。

1）淡水（< 1 g/L）

超淡水（< 0.2 g/L）仅出现于潼关县北歇马（0.15 g/L）和华阴县苗家（0.16 g/L）。

微淡水（$0.2 \sim 0.5$ g/L）主要分布于漆水河以西地区、渭北泾河以东北山山前洪积扇及渭河以南山前洪积扇。此外，大荔沙底—苏村一带也有分布。其分布范围内多为 $HCO_3 - Ca(Ca \cdot Mg)$ 和 $HCO_3 - Na(Na \cdot Mg)$型水。

淡水(0.5~1 g/L)主要分布于渭北乾—礼—兴—咸黄土台塬、泾河—洛河段河谷阶地的部分地区以及洛河以东黄土台塬、河谷阶地。漆水河以东渭河以南河谷阶地也是淡水分布区,此外在法门镇、宝鸡县、蒲城孙镇、兴镇、孝通乡也有零星分布。分布范围内多为 $HCO_3 - Na(Na·Mg)$ 型和 $HCO_3·SO_4 - Mg·Na(Ca 或 Mg·Ca)$ 型水。

2)盐化水(1~10 g/L)

弱盐化水(1~3 g/L)主要分布于渭北泾河以东河谷阶地的大部分地区。此外,乾县阳洪乡、泾阳县兴隆乡李庄也有分布。

盐化水(3~10 g/L)分布于卤泊滩党睦镇及附近高家庄、荆姚镇、陈庄。其中党睦镇高达 10.03 g/L,其余分别为 5.17、5.15、3.04 g/L。此外渭南市辛市镇、刁刘村、周家乡、南七乡也出现了矿化度为 3.1~5.21 g/L 的盐化水。水化学类型多为 $HCO_3·SO_4·Cl$ 型或 SO_4 型。

3)咸水(> 10 g/L)

咸水主要分布于卤泊滩党睦镇一带,如 P_{010} 号采样点矿化度达 10.03 g/L,其水化学类型为 $Cl·SO_4 - Na·Mg$ 型。

综上所述,关中盆地浅层地下水矿化度空间分布特征可归纳如下:

关中盆地大部分都属于淡水。其中超淡水只出现于潼关县北歇马和华阴县苗家。淡水主要分布于渭河以南大部分地区及渭河北岸泾河以西的大部分地区和洛河以东地区。盐化水集中分布于渭北泾河以东河谷阶地的大部分地区,其中大于 3 g/L 以上的盐化水集中在卤泊滩及周围地区和渭南辛市镇、刁刘村、周家乡、南七乡等地。咸水只分布在卤泊滩党睦镇一带。

关中盆地浅层地下水矿化度自西向东,渭河以北由北向南和渭河以南由南向北逐渐升高,但在靠近渭河附近受渭河水混合影响,矿化度有所减小。总体来看,从盆地边缘至盆地中央,矿化作用逐渐增强,矿化度逐渐升高。

5.1.1.3 硬度空间分布特征

关中盆地浅层地下水硬度(如附图 2 所示)总体来讲多大于 150 mg/L,软水(< 150 mg/L)极少出现,按照水文地质手册分类原则,大体可以分为如下四个区。

1)软水(< 150 mg/L)

分布于礼泉县西张堡(107.6 mg/L)、长安县子午镇(128.4 mg/L)及潼关县北歇马(120.1 mg/L)。

2)弱硬水(150~300 mg/L)

主要分布于渭北漆水河以西山前洪积扇及岐山马江、枣林、蔡家坡一带,泾河以东北山山前洪积扇,洛河以东黄土台塬区及乾县大墙镇、武功县贞元乡、扶风杏林等地。

3)硬水(300~450 mg/L)

主要分布于渭北漆水河以西宝鸡、凤翔及扶风县黄土塬区,漆水河以东礼泉南寨子,兴平县、咸阳市,泾河以东高陵县,石川河洛河之间富平、蒲城山前洪积扇后缘,洛河、渭河交汇处及洛河以东冲积平原区。渭河以南分布于西安市、蓝田县及华阳县、潼关县等地。

4)极硬水(> 450 mg/L)

主要分布于渭河冲积平原区。渭北分布于礼泉、兴平、咸阳一带的冲积平原以及泾河洛河段冲积平原的大部分地区。渭河以南分布于户县及其周围,临潼县、华县附近。此外,宝鸡县、眉县第五村、周至县、哑柏镇、潼关港口镇也有零星分布。其中卤泊滩党睦镇地下水硬度高达 3 673.4 mg/L。

总体分布规律如下:

关中盆地浅层地下水硬度呈水平分带性。渭河以北自西向东硬度逐渐增大,最高值出现于卤泊滩,至河口硬度有所减小。泾河西以弱硬水、硬水为主,泾河洛河之间以极硬水为主。渭河以南大部分以弱硬、硬水为主,局部县市出现极硬水,由南向北,硬度总体呈现增大趋势。从盆地边缘到河谷阶地、盆地中心,硬度也呈现增长趋势。盆地边缘一般为弱硬水,逐渐变为硬水,而盆地中心以极硬水为主。

5.1.1.4 离子含量及离子对当量比值分布特征

1)离子含量空间分布特征

根据水化学类型分布特征,依据地形地貌和水文地质条件,将关中盆地划分为两大区,七个亚区,计算出各区的水化学参数及离子含量平均值,分别讨论其离子分布特征(见表 5-1-1)。

表 5-1-1　水文地球化学区水化学分布特征(2001)

大区	亚区	pH 值	矿化度 (g/L)	硬度 (mg/L)	离子含量(mg/L)					
					Ca^{2+}	Mg^{2+}	Na^+	Cl^-	SO_4^{2-}	HCO_3^-
渭河以北	漆水河以西	7.67	0.5	392.4	76.62	39.27	38	28.3	36.8	392
	漆水河—泾河	7.8	0.8	429.2	46.3	69.9	176.9	92.4	145.6	559
	泾河—石川河	7.93	1.24	510.8	59.9	74.2	232.7	123.8	232.7	568
	石川河—洛河	7.98	2.84	871.8	45.7	155.2	646.7	297.5	869.9	510
	洛河—黄河	8	0.63	315.3	62.9	43.6	105.3	88.1	168.4	372.3
	平均	7.9	1.2	503.9	58.3	76.43	239.9	126.0	290.7	480.3
渭河以南	秦岭山前洪积扇	7.57	0.48	365.8	103.8	39.1	36.2	37.45	85	373.9
	渭河冲积平原	7.72	0.65	458.6	90.46	43.7	97.4	69.1	137.5	423.9
	平均	7.65	0.565	412.2	97.13	41.4	66.8	53.3	111.3	398.9

注:表中数据都为各亚区段所有水样测试值的均值。

从表 5-1-1 可以看出,离子含量的分布特征在不同分区差异性明显,呈现出一定规律性。渭北自西向东按水文地球化学分区 Ca^{2+} 含量呈波动减小趋势,HCO_3^-、Mg^{2+}、Na^+、Cl^-、SO_4^{2-} 含量均呈现先升后降趋势,其中易溶组分 Na^+、SO_4^{2-} 增加极为迅猛。渭河以南从山前洪积扇到河谷阶地,Ca^{2+} 含量减小,其余离子含量均增加。伴随着离子含量的变化,pH 值、矿化度、硬度也表现出一定的规律性,均随 Na^+、Mg^{2+}、SO_4^{2-}、Cl^- 含量的增加而增加,渭北在石川河—洛河之间达到区内最大值,而洛河以东又有所减小;渭河以南从山前洪积扇到河谷阶地硬度、矿化度不断增加。总体来看,渭北 Na^+、Mg^{2+}、SO_4^{2-}、Cl^-、HCO_3^- 含量及硬度、矿化度均大于渭河以南;而渭河以南 Ca^{2+} 含量较渭北高。各分区离子分布特征如下。

Ⅰ.渭河以北

(1)漆水河西。漆水河西离子特征表现为 $HCO_3^- \gg SO_4^{2-} > Cl^-$;$Ca^{2+} \gg Mg^{2+} > Na^+$。$Ca^{2+}$ 平均含量为 76.62 mg/L,Na^+、Mg^{2+} 只有它的一半左右,分别为 38 mg/L 和

39.27 mg/L；HCO$_3$$^-$平均含量为 392 mg/L，为 SO$_4$$^{2-}$、Cl$^-$的 10 倍之多。离子含量与矿化度的关系从图 5-1-1可以看到，本区矿化度在 0.3～0.75 g/L，当矿化度逐渐升高时，Ca^{2+}曲线位于 Na$^+$、Mg^{2+}曲线上方，HCO$_3$$^-$曲线位于 SO$_4$$^-$、Cl$^-$曲线上方。Ca^{2+}、HCO$_3$$^-$曲线与矿化度呈对数关系，其余离子呈直线关系。各曲线均呈正相关，相关系数 R 均大于显著时的最小值。

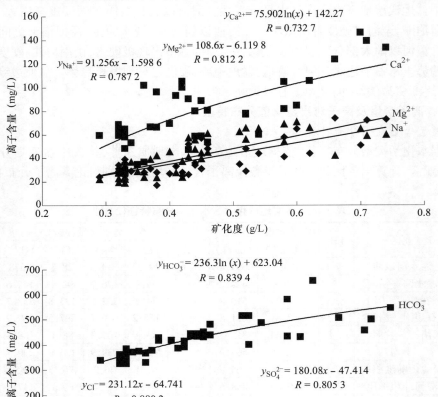

图 5-1-1　漆水河以西矿化度 – 离子含量图

（2）漆水河—泾河。本亚区离子含量表现为 HCO$_3$$^-$ > SO$_4$$^{2-}$ > Cl$^-$；Na$^+$ > Mg^{2+} > Ca^{2+}。Ca^{2+}平均含量减至 46.3 mg/L，Mg^{2+}、Na$^+$分别增加至 69.9 mg/L 和 176.9 mg/L；Na$^+$平均含量与漆水河以西相比均呈明显增加趋势，Cl$^-$增至 92.4 mg/L，为 HCO$_3$$^-$含量的 1/6，SO$_4$$^{2-}$也增至 145.6 mg/L。Na$^+$曲线已位于 Mg^{2+}、Ca^{2+}曲线上方，并呈直线上升趋势（见图5-1-2），Mg^{2+}曲线也高于 Ca^{2+}曲线，呈平缓上升，而 Ca^{2+}含量随矿化度增加不明显。阴离子曲线变化更为明显，HCO$_3$$^-$曲线随矿化度升高逐渐变得平缓，而 SO$_4$$^{2-}$曲线增幅较大，呈指数上升，并且当矿化度大于 2.04 g/L 时，SO$_4$$^-$曲线高出 HCO$_3$$^-$曲线，Cl$^-$曲线呈线性继续上升。

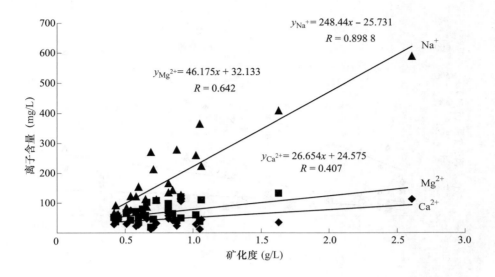

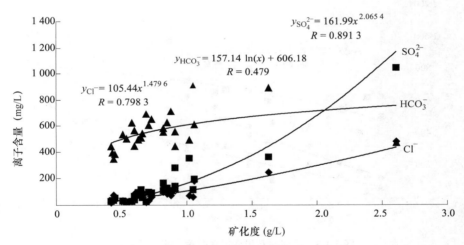

图 5-1-2　漆水河—泾河段矿化度 – 离子含量图

（3）泾河—石川河。本亚区离子含量特征为 $Na^+ \gg Mg^{2+} > Ca^{2+}$，$HCO_3^- > SO_4^{2-} > Cl^-$；$Na^+$ 平均含量继续迅猛增加，达到232.7 mg/L，是 Ca^{2+} 含量的3.9倍，是 Mg^{2+} 含量的3.1倍，Mg^{2+} 也增至 74.2 mg/L；HCO_3^- 增加缓慢，较上一亚区只增加了 9 mg/L，为568 mg/L，而 SO_4^{2-}、Cl^- 增幅明显，较上一亚区分别增加了 87.1 mg/L 和 31.4 mg/L。离子含量和矿化度关系曲线表明，本区矿化度已在 0.5～3.0 g/L 之间，随着矿化度的升高，Na^+ 曲线已明显高出 Ca^{2+}、Mg^{2+} 曲线，SO_4^{2-} 曲线、Cl^- 曲线均呈指数迅猛上升趋势（见图5-1-3）。

（4）石川河—洛河。本亚区离子含量特征表现为 $Na^+ \gg Mg^{2+} > Ca^{2+}$，$SO_4^{2-} > HCO_3^- > Cl^-$，$Na^+$ 平均含量已增至 646.7 mg/L，而 Ca^{2+} 减小为 45.7 mg/L，Na^+ 为 Ca^{2+} 的14.15 倍，Mg^{2+} 平均含量也增至 155.2 mg/L，是 Ca^{2+} 的 3.39 倍；SO_4^{2-} 平均含量已高于 HCO_3^-，为 869.9 mg/L，HCO_3^- 略有减小，为509.95 mg/L，Cl^- 平均含量也已达到 297.5 mg/L。

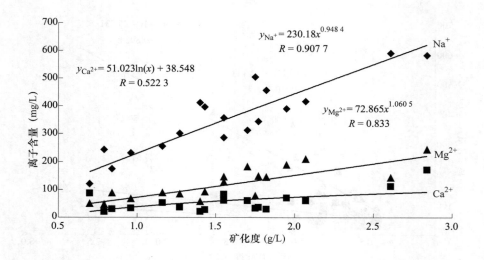

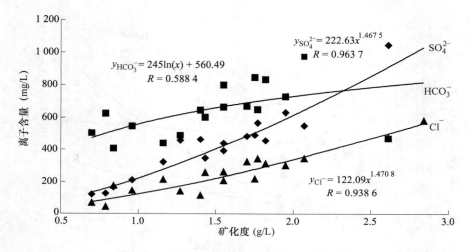

图 5-1-3　泾河—石川河段矿化度 – 离子含量图

从图 5-1-4 可以明显看到 Na^+ 曲线远远高出 Ca^{2+}、Mg^{2+} 曲线,呈直线上升;SO_4^{2-} 曲线当矿化度大于2. 04 g/L 时,也远高于 HCO_3^- 曲线,当矿化度大于 4. 03 g/L 时,Cl^- 曲线高出 HCO_3^- 曲线,并呈指数上升。HCO_3^- 曲线当矿化度大于 2. 04 g/L 后,已变得非常平缓。

(5)洛河—黄河。本亚区离子特征表现为 $Na^+ > Ca^{2+} > Mg^{2+}$,$HCO_3^- > SO_4^{2-} > Cl^-$。$Na^+$ 平均含量有所减小,Ca^{2+} 平均含量又有增加,Na^+ 仅为 Ca^{2+} 的 1.7 倍,Mg^{2+} 平均含量也减小为 43.6 mg/L;阴离子平均含量都减小,且 SO_4^{2-} 减小最为明显,为 168.4 mg/L,而 HCO_3^-、Cl^- 分别为 372.3 mg/L 和 88.1 mg/L,从图 5-1-5 中也可以看到,区内矿化度仅在 0. 15 ~ 1. 8 g/L 之间,Ca^{2+} 曲线又位于 Mg^{2+} 曲线上方,HCO_3^- 曲线又位于 SO_4^- 曲线之上。

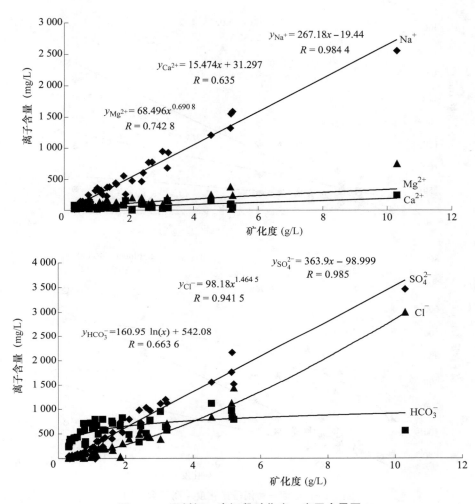

$y_{Na^+} = 267.18x - 19.44$
$R = 0.984\,4$

$y_{Ca^{2+}} = 15.474x + 31.297$
$R = 0.635$

$y_{Mg^{2+}} = 68.496x^{0.690\,8}$
$R = 0.742\,8$

$y_{SO_4^{2-}} = 363.9x - 98.999$
$R = 0.985$

$y_{Cl^-} = 98.18x^{1.464\,5}$
$R = 0.941\,5$

$y_{HCO_3^-} = 160.95\ln(x) + 542.08$
$R = 0.663\,6$

图 5-1-4　石川河—洛河段矿化度－离子含量图

Ⅱ.渭河以南

(1)秦岭山前洪积扇。本亚区离子特征表现为 $Ca^{2+} \gg Mg^{2+} > Na^+$，$HCO_3^- \gg SO_4^{2-} > Cl^-$。地下水的矿化度在 $0.1 \sim 1.0$ g/L 之间，当矿化度小于 0.5 g/L 时，离子含量 Ca^{2+}、HCO_3^- 均随之明显升高，在 $0.5 \sim 1.0$ g/L 之间，二者升高缓慢。Ca^{2+} 平均含量为 103.8 mg/L，是 Na^+、Mg^{2+} 平均含量的 $2.6 \sim 2.9$ 倍，HCO_3^- 平均含量 373.9 mg/L，HCO_3^- 与矿化度曲线位于 SO_4^{2-} 和 Cl^- 曲线的上方，并且随矿化度增加，SO_4^{2-} 和 Cl^- 曲线均趋于平缓。其余离子曲线均随矿化度增加呈直线上升(见图 5-1-6)。

(2)渭河冲积平原。本区离子特征表现为 $Na^+ > Ca^{2+} > Mg^{2+}$，$HCO_3^- > SO_4^{2-} > Cl^-$(见表 5-1-1)。$Na^+$ 平均含量已高出 Ca^{2+} 逐渐占优，但随着矿化度增加，SO_4^{2-} 平均含量也逐渐高出 HCO_3^- 平均含量(见图 5-1-7)。

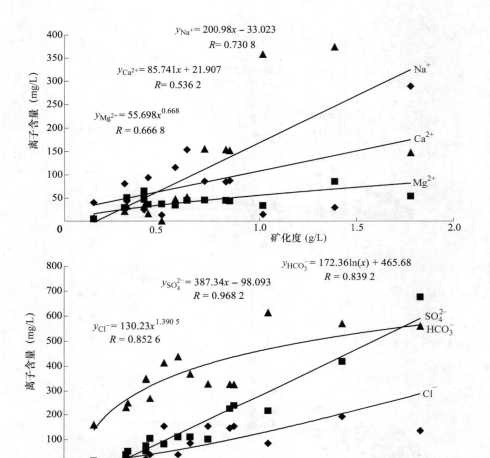

图 5-1-5　洛河—黄河段矿化度－离子含量图

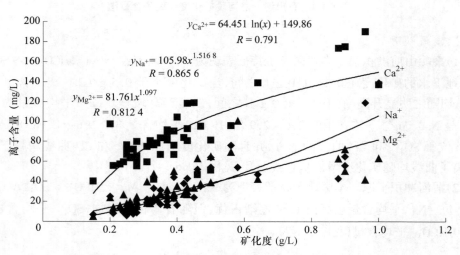

图 5-1-6　秦岭山前洪积扇矿化度－离子含量图

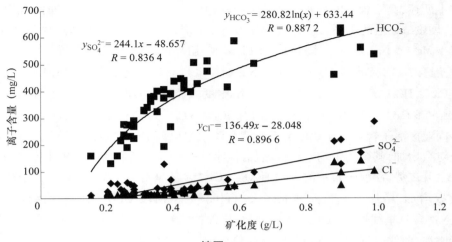

续图 5-1-6

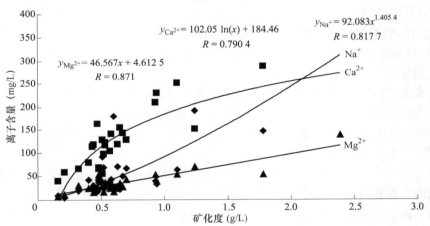

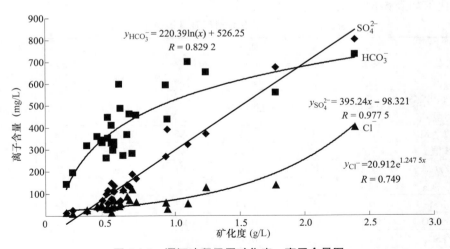

图 5-1-7 渭河冲积平原矿化度 – 离子含量图

综上所述,离子含量的分布反映了关中盆地浅层地下水化学类型分布的规律性及与矿化度、硬度、pH 值的关系。矿化度小于 0.5 g/L 时,Ca^{2+} 含量占优,Na^+ 含量较小,一般有 $Ca^{2+} > Mg^{2+} > Na^+$,$HCO_3^- \gg SO_4^{2-} > Cl^-$。矿化度在 0.5~1 g/L 时,$Na^+$ 含量大于 Ca^{2+} 含量,一般有 $Na^+ > Ca^{2+} > Mg^{2+}$,$HCO_3^- > SO_4^{2-} > Cl^-$。当矿化度为 1~2 g/L 时,有 $Na^+ > Mg^{2+} > Ca^{2+}$,$HCO_3^- > SO_4^{2-} > Cl^-$。而当矿化度大于 2 g/L 时,有 $SO_4^{2-} > HCO_3^- > Cl^-$,$Na^+ > Mg^{2+} > Ca^{2+}$。矿化度大于 4 g/L 时有 $SO_4^{2-} > Cl^- > HCO_3^-$,$Na^+ > Mg^{2+} > Ca^{2+}$。

不同亚区离子含量与矿化度关系为渭北漆水河以西 HCO_3^-、Ca^{2+} 平均含量与矿化度关系呈对数增加,其余离子均呈线性增加;漆水河—泾河段所有离子与矿化度关系曲线均呈线性上升之势,泾河—石川河段除 HCO_3^-、Ca^{2+} 含量呈对数平缓增加外,其余离子含量均为指数增加,增加速率较前两亚区大;石川河—洛河段 HCO_3^-、Ca^{2+} 曲线近乎水平,SO_4^{2-}、Na^+ 含量呈线性增加,Cl^-、Mg^{2+} 曲线仍保持指数上升;洛河以东 HCO_3^-、Ca^{2+} 含量又有所增加,曲线分别呈对数和线性上升趋势,其余离子 SO_4^{2-}、Na^+ 含量线性增加,Cl^-、Mg^{2+} 曲线仍保持指数上升。渭河以南山前洪积扇 HCO_3^-、Ca^{2+} 含量呈对数增加,Na^+、Mg^{2+} 含量呈指数增加,SO_4^{2-}、Cl^- 含量呈线性增加;至冲积平原区 HCO_3^-、Ca^{2+} 含量仍呈对数增加,只是曲线变得较为平缓,其余离子为 Na^+、Cl^- 含量呈指数增加,SO_4^{2-}、Mg^{2+} 含量呈线性增加。

总的来讲,离子的变化趋势明显受矿化度的制约,随着矿化度的不断增加,HCO_3^-、Ca^{2+} 含量由明显增加变为逐渐缓慢增加,其余离子由增加缓慢变为迅速增加,尤其在泾河以东、渭河以南河谷阶地,当矿化度超过 1 g/L 以上时,SO_4^{2-}、Cl^-、Na^+、Mg^{2+} 离子含量均增幅较大。

2)离子对当量比值空间分布特征

关中盆地作为一个开放的水文地球化学系统,在统一的地下水流场内,地下水化学组分在各亚区内存在着有机的联系,形成了关中盆地浅层地下水化学场独特的空间分布格局。下面从离子对当量比值来讨论关中盆地浅层地下水水化学场分布特征,各分区离子对当量比值如表 5-1-2 所示。

表 5-1-2 水文地球化学分区及其地球化学参数

参数	渭河以北					渭河以南	
	漆水河以西	漆水河—泾河	泾河—石川河	石川河—洛河	洛河—黄河	山前洪积扇	冲积平原
主要水化学类型	H - CM	H - N	HSL - NM	SL - NM LS - N	HSL - NCM	H - CM	HS - C(NC)
矿化度(g/L)	0.5	0.8	1.24	2.84	0.63	0.48	0.65
pH 值	7.67	7.8	7.93	7.98	8	7.57	7.72
rCl^-/rCa^{2+}	0.21	1.124	1.16	3.67	0.79	0.2	0.43
rMg^{2+}/rCa^{2+}	0.85	2.517	2.1	5.7	1.16	0.63	0.81
rNa^+/rMg^{2+}	0.5	1.32	1.64	2.17	1.26	0.48	1.16
$rCl^-/rHCO_3^-$	0.124	0.284	0.37	1	0.41	0.17	0.28
rCl^-/rSO_4^{2-}	1	0.86	0.72	0.46	0.71	0.59	0.68
rNa^+/rCl^-	2.1	2.95	2.9	3.36	1.84	1.49	2.18

注:表中 H 代表 HCO_3,S 代表 SO_4,L 代表 Cl,C 代表 Ca,M 代表 Mg,N 代表 Na;数据都为均值。

$r\mathrm{Cl}^-/r\mathrm{Ca}^{2+}$ 比值作为刻画水动力特点的参数,渭北自西向东 $r\mathrm{Cl}^-/r\mathrm{Ca}^{2+}$ 逐渐增大,至河口处又减小,渭河以南由南向北递增,表明关中盆地渭北自西向东,渭河以南自南而北水动力条件逐渐变差,Cl^- 在滞缓的水动力带中富集,尤其在石川河—洛河之间地下水动力条件变得极差,利于 Cl^- 的富集。Ca^{2+} 是弱矿化水中的主要阳离子,$r\mathrm{Cl}^-/r\mathrm{Ca}^{2+}$ 自西向东、由南而北递增充分说明 Ca^{2+} 逐渐减少,矿化度增加,而较强、强矿化水中 Ca^{2+} 含量相对减少。

$r\mathrm{Mg}^{2+}/r\mathrm{Ca}^{2+}$ 及 $r\mathrm{Na}^+/r\mathrm{Mg}^{2+}$ 比值反映了矿化作用的强弱,其值逐渐递增,与矿化度之递增是一致的,表明地下水中 Na^+、Mg^{2+} 离子含量相对增加,盐分不断浓集。其中漆水河—泾河段 $r\mathrm{Mg}^{2+}/r\mathrm{Ca}^{2+}$ 比值偏离上述规律,是由于 Na^+ 的增加使水中 Ca^{2+}、Mg^{2+}、Na^+ 的配比组成发生改变。

$r\mathrm{Cl}^-/r\mathrm{HCO}_3^-$ 及 $r\mathrm{Cl}^-/r\mathrm{SO}_4^{2-}$ 比值可作为反映阴离子演化过程及组分分配等变化的水文地球化学参数。表 5-1-2 所示的 $r\mathrm{Cl}^-/r\mathrm{HCO}_3^-$ 比值均显现由渭北自西向东,渭河以南由南而北递增的现象,渭北洛河以东又有所减小。这表明易溶盐的积累过程,尤其在石川河—洛河之间 $r\mathrm{Cl}^-/r\mathrm{HCO}_3^-$ 成倍增加,显示了 Cl^- 的强化积累。

$r\mathrm{Cl}^-/r\mathrm{SO}_4^{2-}$ 则突出反映了渭北 SO_4^{2-} 相对 Cl^- 含量之增加及渭河以南冲积平原 Cl^- 含量相对 SO_4^{2-} 之增加。其值在渭北表现为自西向东先减小后增加,表明洛河以西 SO_4^{2-} 较 Cl^- 增加较快,而洛河以东 Cl^- 又有所增加,渭河以南从南向北 Cl^- 增加较 SO_4^{2-} 快。

$r\mathrm{Na}^+/r\mathrm{Cl}^-$ 则反映了大陆盐化过程及 Na^+、Cl^- 相对含量的增长情况,可见渭北洛河以西,渭河以南自南向北 Na^+ 含量较 Cl^- 含量增加速度快,水质总体向盐化方向发展。

综上,由区内水文地球化学参数空间分布及变化趋势来看,关中盆地浅层地下水化学场的空间演化充分表明了地下水动力场对水化学场的控制作用。

5.1.1.5 关中盆地浅层地下水水化学场空间演化特征

关中盆地各分区水化学场的特征如表 5-1-3 所示,其演化规律如下。

1)渭河以南地区

山前洪积扇区,由于潜水流程短、水力坡度大、水交替作用强烈,水文地球化学成因属于溶滤型,地下水径流以脱盐作用为主,其化学反应如下所示:

$$\mathrm{CO}_{2(\mathrm{g})} + \mathrm{H}_2\mathrm{O} = \mathrm{CO}_{2(\mathrm{aq})} + \mathrm{H}_2\mathrm{O}$$

$$\mathrm{CO}_{2(\mathrm{aq})} + \mathrm{H}_2\mathrm{O} = \mathrm{H}_2\mathrm{CO}_3$$

$$\mathrm{H}_2\mathrm{CO}_3 = \mathrm{H}^+ + \mathrm{HCO}_3^-$$

$$\mathrm{HCO}_3^- = \mathrm{H}^+ + \mathrm{CO}_3^{2-}$$

$$\mathrm{H}_2\mathrm{O} = \mathrm{H}^+ + \mathrm{OH}^-$$

$$\mathrm{OH}^- + \mathrm{CO}_{2(\mathrm{aq})} = \mathrm{HCO}_3^-$$

$$\mathrm{CaCO}_3 + \mathrm{H}^+ = \mathrm{CaHCO}_3^+$$

$$\mathrm{CaMg}(\mathrm{CO}_3)_2 + 2\mathrm{H}^+ = \mathrm{CaHCO}_3^+ + \mathrm{MgHCO}_3^+$$

$$\mathrm{CaHCO}_3^+ = \mathrm{Ca}^{2+} + \mathrm{HCO}_3^-$$

$$\mathrm{MgHCO}_3^+ = \mathrm{Mg}^{2+} + \mathrm{HCO}_3^-$$

$$\mathrm{CaCO}_3 = \mathrm{Ca}^{2+} + \mathrm{CO}_3^{2-}$$

$$\mathrm{CaMg}(\mathrm{CO}_3)_2 = \mathrm{Ca}^{2+} + \mathrm{Mg}^{2+} + 2\mathrm{CO}_3^{2-}$$

$$NaCl = Na^+ + Cl^-$$

$$NaAlSi_3O_8 + H_2CO_3 + H_2O \rightarrow Na^+ + HCO_3^- + H_4SiO_4 + Al_2Si_2O_5(OH)_4$$

$$M_1A_1S_1O_1 + H^+ = M_2A_2S_2O_2H + M_{3(aq)} + SiO_2$$

$$M_2A_2S_2O_2H_{(s)} + M_{3(aq)} = M_{2(aq)} + M_3A_2S_2O_2H_{(s)}$$

$$(A = Al, S = Si, O = O, M_1, M_2, M_3\text{为碱或碱土金属})$$

表 5-1-3　关中盆地浅层地下水化学场空间分布特征(2001)

大区	水文地球化学分区	水化学类型	矿化度(g/L)	硬度(mg/L)	pH 值	水化学分布特征
渭河以北	漆水河西	H－CM HL－CM(M)	0.5	392.4	7.67	主要分布 H－CM 型、弱碱性、淡、弱硬水，$Ca^{2+} \gg Mg^{2+} > Na^+$；$HCO_3^- \gg SO_4^{2-} > Cl^-$
	漆水河—泾河	H－CM H－N HL－NM HS－NM	0.8	429.2	7.8	主要分布 H－N 型、弱碱性、淡、硬水，$Na^+ > Ca^{2+} > Mg^{2+}$；$HCO_3^- \gg SO_4^{2-} > Cl^-$
	泾河—石川河	H－N HS－N HSL－NM HL－N SHL－NM SL－NM	1.24	510.8	7.93	主要分布 HSL－NM 型、弱碱性、弱盐化、极硬水，$Na^+ \gg Mg^{2+} > Ca^{2+}$；$HCO_3^- > SO_4^{2-} > Cl^-$
	石川河—洛河	H－NM HS－N HSL－NC SHL－N SH－N SL－N LS－N H－MC	2.84	871.8	7.98	主要分布 SL－N(LS－N)型、弱碱性、弱盐化、极硬水，$Na^+ \gg Mg^{2+} > Ca^{2+}$；$SO_4^{2-} > HCO_3^- > Cl^-$
	洛河—黄河	H－CM H－Nm HS－NCM HL－NC HSL－NCM	0.63	315.3	8	主要分布 HSL－NCM 型、弱碱性、淡、硬水，$Na^+ > Ca^{2+} > Mg^{2+}$；$HCO_3^- > SO_4^{2-} > Cl^-$
渭河以南	山前洪积扇	H－MC(CM)	0.48	365.8	7.57	主要分布 H－CM 型、弱碱性、微淡、硬水，$Ca^{2+} \gg Mg^{2+} > Na^+$；$HCO_3^- \gg SO_4^{2-} > Cl^-$
	冲积平原	HS－CNM(C) H－N HSL－C SHL－NM LS－C	0.65	458.6	7.72	主要分布 HS－C(NM)型、弱碱性、极硬、淡水，$Na^+ > Ca^{2+} > Mg^{2+}$；$HCO_3^- > SO_4^{2-} > Cl^-$

注：表中 H 代表 HCO_3，S 代表 SO_4，L 代表 Cl，C 代表 Ca，M 代表 Mg，N 代表 Na；数据都为均值。

　　大范围内以矿化度小于 0.5 g/L 单一的 HCO_3－Ca(Ca·Mg)型水为主，仅在户县以北，西安城区与北郊因地形平坦，潜水径流变缓和人为污染等出现了矿化度为 1 g/L 左右的 $HCO_3 \cdot SO_4$－Ca·Mg(Mg·Na 或 Ca·Na)型水。

　　渭河冲积平原区，河床与两岸地形高差甚小，地下水位受河床基准面控制埋藏很浅（1～3 m），含水层岩性细，致使蒸发浓缩作用加强，出现了 $HCO_3 \cdot SO_4$－Na·Ca(或 Na·Mg)型水。在潼关港口一带，还出现了 $SO_4 \cdot HCO_3$－Ca 型水，矿化度为 1.78 g/L。西安草滩—华县的近河漫滩区，因河水补给使潜水稀释淡化，变为矿化度小于 1 g/L 的 HCO_3－Ca(或 Ca·Mg)型水。

　　2)渭河以北地区

　　漆水河以西地区，地形坡度大，地表水系发育，从山前至渭河河谷区潜水径流途径短而通畅,以强烈循环交替为其基本特征。除了东部青化—法门寺—召公镇的洪积扇前缘与黄土塬接触部位,因地下水埋藏浅、含水层岩性细以及人为污染等因素出现了 $HCO_3 \cdot Cl - Mg \cdot Ca$ 型水外,其余地段均为 $HCO_3 - Ca \cdot Mg$(或 $Mg \cdot Ca$)型水,矿化度小于 0.6 g/L, rCl^- / rCa^{2+} 比值 < 0.3, rMg^{2+} / rCa^{2+} 为 0.669 ~ 1.105, rNa^+ / rMg^{2+} 比值为 0.37 ~ 0.85, $rCl^- / rHCO_3^-$ 和 rCl^- / rSO_4^{2-} 分别为 0.069 ~ 0.118 及 0.975 ~ 1.225, rNa^+ / rCl^- 从山前洪积扇到渭河阶地,沿地下水流向呈增长趋势(见表 5-1-4)。由此可见,本区是水交替积极、整个径流过程以脱盐为主、矿化作用微弱,地下水中 HCO_3^-、Ca^{2+}、Mg^{2+} 离子占优势的水文地球化学背景,沿地下水径流方向水质演化符合正向演化规律。

漆水河—泾河地段,地势较漆水河以西低,地表水系稀少,塬面平坦且有东西方向构造或侵蚀洼地分布,地下径流条件较漆水河以西条件差。同时,山前洪积扇前缘及塬区,潜水含水层以砂质黏土为主,有利于地下水中的 Ca 与富含 Na 的黄土颗粒发生阳离子交替吸附,导致水中的 Na 离子富集,化学反应如下:

$$CaMg(CO_3)_2 + Ca^{2+} = Mg^{2+} + 2CaCO_{3(s)}$$

$$2Na^+ + Ca^{2+}_{(吸)} = Ca^{2+} + 2Na^+_{(吸)}$$

$$Mg^{2+} + Na^+_{(吸)} = Na^+ + Mg^{2+}_{(吸)}$$

加之潜水的 pH 值在 7.6 ~ 8.5 之间,属于弱碱性,水中的 Ca^{2+} 易形成 $CaCO_3$ 沉淀,使水中游离态 Ca 较缺乏,因此本区 Na^+ 取代 Ca^{2+} 而占优。受地质及水文地质条件制约,从山前洪积扇到渭河阶地区,水交替条件经历了强(洪积扇中后部)→弱(洪积扇前缘)→强(黄土台塬后缘)→弱(黄土台塬塬面洼地)→强(黄土台塬前缘)→强(渭河阶地区),矿化作用经历了弱→强→弱→强→弱→弱的变化规律。受上述因素控制,各地貌单元水文地球化学参数随水交替条件及矿化作用也呈现规律性变化,山前洪积扇中后部,含水层颗粒粗,地形高差大,水交替积极,以低矿化度(0.68 g/L 左右)的 $HCO_3 - Ca \cdot Na$ 型水为主,至洪积扇前缘,因含水层颗粒细、地下水径流滞缓、水交替变弱、矿化度增高(1.06 g/L),Cl^- 离子得到富集,$rCl^- / rHCO_3^-$ 由中后部的 0.155 迅速增加到 0.51,rCl^- / rCa^{2+} 比值由洪积扇中后部的 0.933 增加到 2.292,rMg^{2+} / rCa^{2+} 和 rNa^+ / rMg^{2+} 分别由 2.37 和 1.05 增加到 4.146 和 1.1(见表 5-1-4),显示出强化的易溶盐的积累过程,水化学类型为 $HCO_3 \cdot Cl - Na \cdot Mg$ 型水。此外,由于潜水含水层大部分地区存在淤泥质、腐烂的植物根系等有机质,从而发生脱硫酸作用,使地下水中 SO_4^{2-} 减少,化学反应如下:

$$SO_4^{2-} + 2C + 2H_2O = H_2S + 2HCO_3^-$$

黄土台塬后缘,地下水径流条件相对变好,rCl^- / rCa^{2+} 比值为 0.77,rMg^{2+} / rCa^{2+} 和 rNa^+ / rMg^{2+} 比值分别为 3.684 和 2.9,形成低矿化(0.56 g/L 左右)$HCO_3 - Mg \cdot Na$ 型水。当水流至黄土台塬塬面洼地时,因径流更加滞缓,rCl^- / rCa^{2+} 比值为 2.14,水化学类型以 $HCO_3 \cdot SO_4 - Na \cdot Mg$ 型水为主,矿化度达到 1.11 g/L。至黄土台塬前缘,由于水力坡度加大,径流条件相对变好,又以低矿化(0.49 g/L 左右)$HCO_3 - Na$ 型水为主,rCl^- / rCa^{2+} 比值 0.94,rMg^{2+} / rCa^{2+} 和 rNa^+ / rMg^{2+} 比值分别为 1.91 和 2.521,$rCl^- / rHCO_3^-$ 为 0.13,rCl^- / rSO_4^{2-} 为 1.025,rNa^+ / rCl^- 为 2.95(见表 5-1-4),Na 离子明显富集。渭河阶地虽然有塬面地下水径流补给,因潜水主要为降水和河水渗入补给,加之冲积层渗透性好,河谷区潜水水化学类型以 $HCO_3 - Mg \cdot Ca$ 和 $HCO_3 - Mg \cdot Na \cdot Ca$ 型水为主,矿化度、硬度及离子对当量比值均有不同程度的变化。

表 5-1-4　关中盆地渭河以北不同地貌单元水文地球化学参数统计表（2001 年）

水文地球化学作用带			矿化度(g/L)	水化学类型	rCl^-/rCa^{2+}	rMg^{2+}/rCa^{2+}	rNa^+/rMg^{2+}	$rCl^-/rHCO_3^-$	rCl^-/rSO_4^{2-}	rNa^+/rCl^-	pH值
漆水河以西	洪积扇		0.45	$HCO_3-Mg-Ca$	0.296	1.105	0.763	0.118	1.225	3.38	7.33
	黄土台塬		0.45	$HCO_3-Ca-Mg$	0.185	0.822	0.37	0.116	1.012	5.4	7.5
	渭河阶地		0.33	$HCO_3-Ca-Mg-Na$	0.13	0.669	0.85	0.069	0.975	7.7	8.27
漆水河—泾河	洪积扇	中后部	0.68	$HCO_3-Mg-Ca$	0.933	2.37	1.05	0.155	1.188	1.133	8.05
		前缘	1.06	$HCO_3-Cl-Na-Mg$	2.292	4.146	1.1	0.51	1.26	0.436	7.75
	黄土台塬	后缘	0.56	$HCO_3-Mg-Na$	0.77	3.684	2.9	0.097	1.106	1.6	7.6~8
		塬面洼地	1.11	$HCO_3-SO_4-Na-Mg$	2.14	4.38	1.464	0.34	1.15	0.61	7.8
		前缘	0.49	HCO_3-Na	0.94	1.91	2.521	0.13	1.025	2.95	7.9
	渭河阶地		0.79	$HCO_3-Mg-Ca$ $HCO_3-Mg-Na-Ca$	0.92	2.25	0.57	0.37	1.4	1.158	7.7
泾河—石川河	洪积扇		0.7	$HCO_3-Na-Ca-Mg$	0.44	0.95	1.3	0.23	0.77	2.28	7.9
	黄土台塬与洪积扇接触带		1.4	HCO_3-SO_4-Na	2.97	4.4	3.7	0.31	0.335	0.34	8.4
	冲积平原(由北向南沿地下水流向)		2.84	$SO_4-Cl-HCO_3-Na-Mg$	1.9	2.337	1.26	1.15	0.963	0.52	7.6
			2.61	$SO_4-Cl-Na-Mg$	2.4	2.1	2.2	1.75	0.62	0.42	8.07
			1.55	$HCO_3-SO_4-Cl-Na-Mg$	1.76	2.9	1	0.68	0.81	0.57	7.88
			1.77	$SO_4-HCO_3-Na-Mg$	5.2	6.6	1.2	0.9	0.818	0.19	7.77
			1.16	$HCO_3-SO_4-Na-Mg$	2.3	2.8	1.5	0.848	0.908	0.437	8.07
			0.84	$HCO_3-Cl-Na-Mg$	3.3	4.9	1.05	0.747	1.44	0.302	8.1
			0.96	$HCO_3-SO_4-Na-Mg$	2.4	3.3	1.81	0.45	0.9	0.42	8
石川河—洛河	洪积扇	中后部	0.59	$HCO_3-Na-Mg$	0.77	1.9	1.89	0.19	0.74	1.3	8.07
		前缘	0.79	$SO_4-HCO_3-Cl-Na$	0.8	1	1.3	0.76	0.69	1.3	7.94
	黄土台塬	塬区	5.15	$SO_4-Cl-Na-Mg$	7.3	7.18	1.86	1.98	0.86	0.14	7.72
		塬区洼地	2.72	$SO_4-HCO_3-Cl-Na$	6.2	5.6	3.13	0.934	0.59	0.16	7.92
			5.17	$SO_4-Cl-Na$	5.5	0.289	48.51	1.9	0.58	0.118	7.81
		卤泊滩洼地	10.03	$Cl-SO_4-Na-Mg$	7	5.2	1.8	9.23	1.17	0.14	7.62
	冲积平原		0.81	$HCO_3-SO_4-Cl-Na-Ca$	0.88	0.96	1.373	0.74	0.77	1.14	8.31
		洼地边缘及洼地	5.21	$Cl-SO_4-Na$	19.6	9.5	3.54	3.1	1.27	0.051	7.96
			3.22	$SO_4-Cl-Na$	11.84	7.5	3.2	2.14	0.85	0.08	7.94
			2.51	$SO_4-Cl-Na$	6.25	4	4.3	1.45	0.56	0.16	8.14
洛河—黄河	洪积扇前缘		0.7	$HCO_3-SO_4-Na-Ca$	0.6	0.891	1.29	0.42	0.59	1.7	7.94
	黄土台塬区		0.77	$HCO_3-SO_4-Cl-Na-Ca-Mg$	0.78	0.848	1.38	0.601	0.78	1.28	8.03
			0.77	$Cl-HCO_3-SO_4-Ca$	4.8	4.836	6.3	1.43	1.5	0.21	8.49
	冲积平原		0.72	$HCO_3-Cl-Na-Ca$	1.02	0.871	1.8	0.8	2	0.98	8.01
			0.83	$HCO_3-SO_4-Cl-Na-Ca$	0.979	0.87	1.83	0.77	0.88	1.02	7.73

泾河—洛河地段，除山前地带径流较通畅外，地下水径流条件很差，径流中下游以急剧矿化和盐分积累为主要特征，伴随着大面积的土壤盐渍化的产生和发展，其地球化学成因属大陆盐化型。地貌条件尤其台塬上分布的一系列近东西向构造，侵蚀洼地对水化学成分形成控制作用明显，从山前至冲积平原，水化学类型与矿化度及离子对当量比值变化幅度大，随地貌形态呈近东西向平行带状变化。山前洪积扇区，潜水含水层由黄土状砂质黏土夹砂砾石层组成，透水性较好，水力坡度大，径流通畅，形成 HCO_3-Na（或 $Na\cdot Mg$）型水，矿化度小

于 1 g/L，至洪积扇前缘及黄土台塬部位，由于大型构造洼地相间分布，同时含水层又都为黄土或砂质黏土，透水性差，径流缓慢，排泄不畅，水化学类型逐渐过渡为 $HCO_3 \cdot SO_4 - Na \cdot Mg$（或 Na）和 $HCO_3 \cdot SO_4 \cdot Cl - Na$ 型，矿化度为 $1 \sim 1.5$ g/L，而塬面洼地由于径流更加滞缓，水位埋藏浅，加之周围向洼地汇集的地下水挟带了大量盐分，在强烈蒸发浓缩作用下，地下水矿化度及离子对当量比值随之增加，SO_4^{2-} 取代 HCO_3^- 的位置而居前位，形成了 $SO_4 \cdot HCO_3 - Na$、$SO_4 \cdot HCO_3 \cdot Cl - Na$ 及 $SO_4 \cdot Cl - Na \cdot Mg$ 型水，矿化度 $2 \sim 6$ g/L。位于黄土台塬前缘的卤泊滩洼地，则出现 $Cl \cdot SO_4 - Na \cdot Mg$ 型水，矿化度增加至 $5 \sim 11$ g/L，rCl^-/rCa^{2+} 达到 7 左右，$rCl^-/rHCO_3^-$ 达到 9.23，rCl^-/rSO_4^{2-} 达到 1.17。水流至泾、石、洛冲积扇及渭河冲积平原区，含水层岩性均一，透水性弱（$k = 0.85 \sim 2.5$ m/d），储水导水能力较差，且包气带岩性为粉土质亚砂土，地下水位埋藏浅，蒸发作用强烈，地下径流滞缓，沿径流方向形成 $HCO_3 \cdot SO_4 - Na \cdot Mg$、$SO_4 \cdot Cl - Na \cdot Mg$ 型水，矿化度 $0.5 \sim 1.5$ g/L。在固市洼地附近和三原县清峪河一带，由于地势低洼，rCl^-/rCa^{2+} 比值为 $6 \sim 19.6$，水交替很差，出现了 $Cl \cdot SO_4 - Na$、$SO_4 \cdot Cl - Na \cdot Mg$、$SO_4 \cdot HCO_3 - Na \cdot Mg$、$HCO_3 \cdot Cl - Na \cdot Mg$ 型水，矿化度为 $2.5 \sim 5.5$ g/L。至渭河漫滩区因河水频繁涨落，地下水被稀释淡化，水化学类型则变为矿化度为 $1 \sim 2$ g/L 的 $HCO_3 \cdot SO_4 \cdot Cl$ 型水。沙丘分布区则形成矿化度小于 0.5 g/L 的 $HCO_3 - Ca \cdot Mg$ 型水。

洛河—黄河地段，山前洪积扇与台塬以及黄河三、四级阶地区，由于地下水径流途径较短，水循环条件良好，大范围为 $HCO_3 - Ca \cdot Mg$（或 $Mg \cdot Ca$）型水，矿化度小于 0.5 g/L；但在渭、洛河与黄河交汇冲积平原区，河床与两岸地形高差较小，地下水位受河流侵蚀基准面的控制，埋藏较浅（$1 \sim 5$ m），且含水层与包气带岩性细，径流滞缓，致使蒸发浓缩作用增强，形成 $HCO_3 \cdot SO_4 \cdot Cl - Na \cdot Ca$，以及 $HCO_3 \cdot SO_4 - Na \cdot Mg$ 型水，矿化度 $0.7 \sim 1$ g/L。

综上所述，区内潜水天然水化学成分空间分布特征主要受地质、地貌和水文地质条件的制约。总的来讲，在矿化作用与水化学形成条件上，具有盆地型和河谷型的双重特征，即由山前地带向盆地中心，由河流上游向下游，随地形变缓，地下径流的水力坡度变小，沉积岩相从粗变细，径流从通畅变得滞缓，地下水的排泄方式以水平排泄为主变为以垂直蒸发为主，地下水的主要水化学作用从以溶滤作用为主变为浓缩作用为主，矿化度随之增高，水化学类型从单一重碳酸水变为多种组合形式，离子对当量比值变化明显。

5.1.2 时域演化特征

5.1.2.1 20世纪 80 年代水化学场空间分布特征

1）水化学类型

据附图 3，以 1984 年为代表年，其水化学类型分布仍然符合 2001 年总体分布规律，只有局部地段有所差异。共计 8 种水化学类型，其中 HCO_3 型占 48.2%，SO_4 型占 3.6%，没有 Cl 型水出露，与 2001 年相比 $HCO_3 \cdot Cl$、$Cl \cdot HCO_3$ 型水大面积出露，分别占 16.4% 和 8%，$HCO_3 \cdot SO_4$ 型占 1.9%。

$HCO_3 - Ca \cdot Mg$、$HCO_3 - Na$、$HCO_3 \cdot SO_4 - Na \cdot Mg$（Ca·Na 或 Mg·Ca）型水的分布大体与 2001 年相似，不再赘述。与 2001 年分布不同之处如下：

（1）$HCO_3 \cdot Cl - Na \cdot Mg$（Mg·Na）型水分布于乾县大墙镇、兴平店张镇至咸阳底家港一带，武功县大庄镇—兴平桑镇—咸阳市马神庙沿渭河一带及泾河以东三原县以南的大部分地区。

分布面积较大。此外在岐山县、临潼县、蓝田蓝关镇点状出露。

(2)$Cl \cdot HCO_3 - Na \cdot Mg(Na)$ 型水在三原、泾阳、高陵面状出露,在口镇点状出露。

(3)$HCO_3 \cdot SO_4 \cdot Cl - Mg(Na)$ 型水只在兴平贾赵镇、三原鲁桥镇附近点状出露。$HCO_3 \cdot Cl \cdot SO_4 - Ca \cdot Na$ 型水出现于礼泉赵镇。

2)矿化度

矿化度的分布特征(见附图3)大体与2001年相似,主要有以下不同点:

(1)渭河以南长安县矿化度大于 0.5 g/L,属于淡水,较 2001 年该地区矿化度值偏大。

(2)岐山县、富平冯村附近和临潼县矿化度均大于 1 g/L,属于弱盐化水。

(3)乾县阳洪乡,三原、泾阳、高陵、阎良的大部分地区矿化度均小于 2001 年,分别属于淡水和小于 1.5 g/L 的弱盐化水。

(4)卤泊滩地区平均矿化度为 4.066 g/L,较 2001 年的 4.03 g/L 略高,但矿化度都在 2~10 g/L 之间,没有咸水出现。

总体来看,1984 年渭河以南平均矿化度为 0.65 g/L,较 2001 年的 0.58 g/L 高,渭北石川河以西平均矿化度为 0.89 g/L,较 2001 年的 0.945 g/L 偏小。

3)硬度

如附图4所示,1984 年硬度分布特征大体与 2001 年相似,仍符合前述分布规律。除此之外主要有以下差异:

(1)局部弱硬水面积较 2001 年小。主要表现在渭北漆水河以西岐山蔡家坡、马江、大营等地,泾河以东鲁桥镇一带,渭河以南眉县、周至终南镇、长安县马王镇、子午镇一带,这些地区 2001 年均为弱硬水分布区,而 1984 年大多为硬水,甚至极硬水(如岐山县、眉县第五村附近)。

(2)渭河以南周至县涝店—长安县三兆镇出现带状分布极硬水,较 2001 年硬度增大,而户县及周围硬度减小,为硬水。渭北极硬水分布面积小于 2001 年,主要出现在扶风县法门镇、咸阳市及阎良区。

(3)乾县临平镇、甫仁村、礼泉县一带 1984 年均分布弱硬水,较 2001 年硬度小。

总之,1984 年渭河以南平均硬度为 407.4 mg/L,较 2001 年的 412.4 mg/L 低。渭北石川河以西平均硬度 393 mg/L,较 2001 年的 444 mg/L 偏小。卤泊滩地区硬度达 1 178.7 mg/L,高于 2001 年的 1 150 mg/L。

4)离子含量

离子含量的分布,总体来看渭北自西向东 Ca^{2+} 含量波动减小,其余离子均呈增长趋势(见表5-1-5)。仍与2001年离子分布特征相符合,此外,主要有以下几点差异:

(1)与 2001 年相比,最为显著不同的是 Cl^- 含量在渭北自西向东增加迅猛,至漆水河以东便超过 SO_4^{2-} 含量,从图 5-1-8 可以明显看到,漆水河以西当矿化度小于 1 g/L 时,SO_4^{2-} 曲线高于 Cl^- 曲线,而当矿化度大于 1 g/L 后(见图 5-1-9),Cl^- 曲线已高出 SO_4^{2-} 曲线,呈指数上升。至泾河以东(见图 5-1-10),当矿化度大于 2 g/L 时,Cl^- 曲线开始高出 HCO_3^- 曲线,呈直线上升。在卤泊滩地区(见图 5-1-11),矿化度大于 3 g/L 以上时,Cl^- 曲线、SO_4^{2-} 曲线均高出 HCO_3^- 曲线,HCO_3^- 曲线已经近乎水平直线。在上述过程中,阳离子曲线由 Ca^{2+} 曲线高出 Na^+、Mg^{2+} 离子曲线,直到最后 Na^+、Mg^{2+} 曲线均高出 Ca^{2+},且 Ca^{2+} 曲线也近乎水平,也明显地反映出了离子分布的空间特征及水平分带性。值得注意的是,漆水河以西地区的 Na$^+$ 含量已经高出 Mg^{2+} 含量,与 2001 年不同。

表 5-1-5　20 世纪 80 年代水化学场空间分布特征(1984)

水文地球化学分区		pH 值	矿化度(g/L)	硬度(mg/L)	离子含量(mg/L)						水化学类型
					Ca^{2+}	Mg^{2+}	Na$^+$	Cl$^-$	SO$_4^{2-}$	HCO$_3^-$	
渭河以北	漆水河以西	7.5	0.41	354.7	83.5	28.8	46.3	32.3	53.7	397.6	H－CM HL－MC
	漆水河—泾河	7.59	0.72	372.4	58.9	54	201	143.8	127.2	561.2	H－N HL－M(N) HCL－M HLS－CN LH－N
	泾河—石川河	7.62	1.22	452.9	61.8	68.5	240	264.7	128	598	H－N HS－N HSL－N HL－N(CN、MN) LH－NM
	石川河—洛河										SL－NM S－N HS－N LS－N
	洛河—黄河										
渭河以南	山前洪积扇	7.57	0.6	355.3	117.7	32	82.8	70	102.2	493.1	H－C(CM、CN) HS－CN
	冲积平原	7.56	0.73	479.5	110.8	37.2	169	88.9	205	539	H－CM H－HC SH－NC HS－NM(MC、C) HL－NC

注:表中 H 代表 HCO$_3$,S 代表 SO$_4$,L 代表 Cl,C 代表 Ca,M 代表 Mg,N 代表 Na;数据都为平均值。

(2)渭河以南山前洪积扇 Na$^+$ 含量较大,为 82.8 mg/L,较 2001 年 36.2 mg/L 大,说明 Na$^+$ 含量增加较快(见图 5-1-12),当矿化度大于 0.8 g/L 后,Na$^+$ 含量已绝对占优。阴离子始终是 HCO$_3^-$ 占优,至冲积平原区(见图 5-1-13),SO$_4^{2-}$ 曲线、Cl$^-$ 曲线始终未能高出 HCO$_3^-$ 曲线。

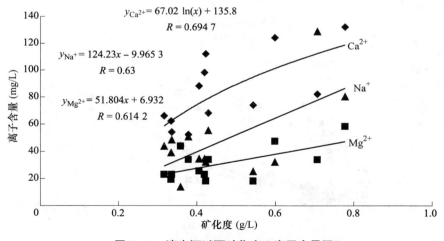

图 5-1-8　漆水河以西矿化度－离子含量图

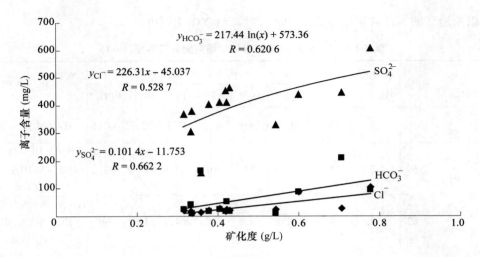

续图 5-1-8

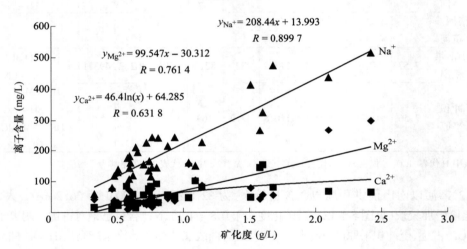

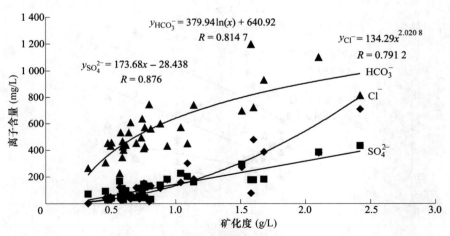

图 5-1-9　漆水河—泾河段矿化度 – 离子含量图

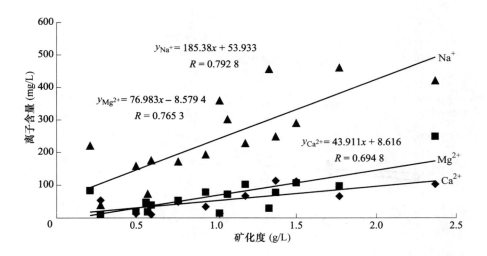

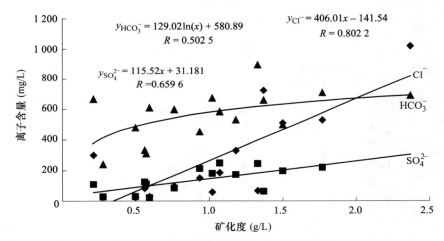

图 5-1-10　泾河—石川河矿化度 – 离子含量图

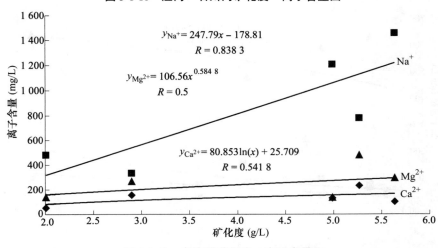

图 5-1-11　卤泊滩矿化度 – 离子含量图

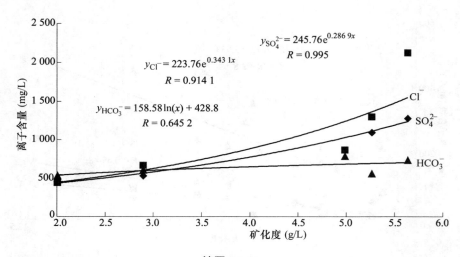

续图 5-1-11

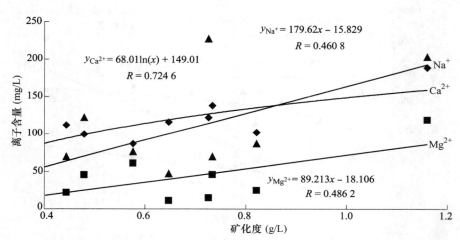

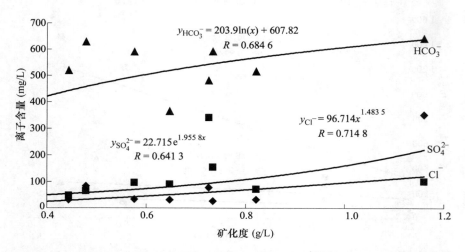

图 5-1-12　渭河以南山前洪积扇矿化度 – 离子含量图

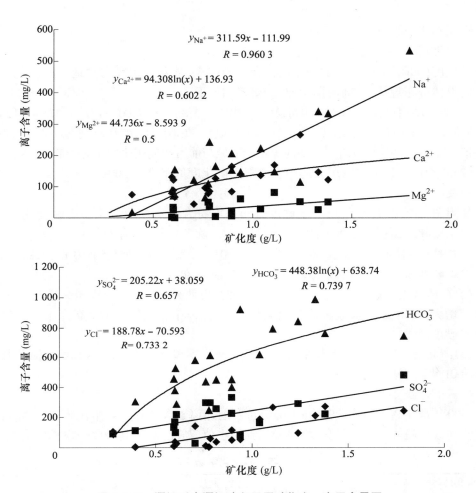

图 5-1-13　渭河以南渭河冲积平原矿化度 – 离子含量图

5.1.2.2　20 世纪 90 年代水化学场空间分布特征

1）水化学类型

据附图 5,1990 年共分成 8 种水化学类型,其中 HCO₃ 型占 62%,HCO₃·SO₄ 型占 14.8%,HCO₃·Cl 型占 7.4%,HCO₃·SO₄·Cl 型占 2.5%,仅个别点为 Cl·SO₄ – Mg 型,占 0.8%。

水化学类型分布仍符合前述规律,与前两期相比主要有以下不同点:

(1)杨凌、武功、兴平沿渭河一带水化学类型表现为 HCO₃ – Ca(Ca·Mg)型,较前两期水型发生变化,水质好转,尤其较 1984 年水质大有好转。

(2)HCO₃·Cl – Mg·Ca(Na·Mg)水在泾河以东大面积出露,较 2001 年水质好转。

(3)HCO₃·SO₄·Cl – Na·Mg(Ca)水在泾河—石川河之间呈面状分布,较 1984 年水质变差,较 2001 年好。

(4)卤泊滩地区以 Cl·HCO₃ – Na 型水为主,还包括渭南官底、信义一带,水型也为 Cl·HCO₃ – Na(Mg·Na),较 2001 年 SO₄·Cl – Na·Mg 或 Cl·SO₄ – Na·Mg 型水,水质有所好转。

(5)富平、蒲城一带及洛河以东合阳县部分地区为 HCO₃ – Na 型水,较之 2001 年 HCO₃·

$SO_4 \cdot Cl$ 型水水质变好。

2）矿化度

矿化度（如附图5所示）的分布仍符合自西向东、从盆地边缘向盆地中心矿化度逐渐增大的总体分布规律，与前两期相比，主要差别如下：

（1）矿化度相对较低，未见盐化水及咸水出露。渭北平均 1.003 g/L < 1.475 g/L（2001 年值），渭河以南平均 0.57 g/L < 0.58 g/L（2001 年值）。在地区上，乾县、兴平、兴平店张镇底家湾一带，泾河—石川河、石川河—洛河等不同区域与前后两期相比均相对较低。

（2）个别地区如洛河以东大荔许庄镇附近矿化度值略高于 2001 年。

3）硬度

如附图6所示，1990 年地下水硬度分布基本符合自盆地边缘至中心硬度逐渐增大、自西向东极硬水面积逐渐增大的总体分布规律。除此而外，尚有如下差异：

（1）1990 年渭北平均硬度 568.7 g/L，较 2001 年渭北平均硬度 565.3 mg/L 略高，渭河以南平均硬度 384.4 mg/L，较 2001 年的 445.7 mg/L 低。

（2）在地区上，兴平贾赵镇、户县牛东、西安市西郊，渭河以南周至—户县硬度均较 1984 年增大，石川河以东地区洛河、渭河交汇处，合阳县、韩城市大荔许庄—安仁镇较 2001 年硬度增大。

（3）渭北洛河以东弱硬水分布面积和渭河南岸零口河以东华县杏林镇—潼关县硬度均较 2001 年减小。

4）离子含量

1990 年离子含量分布（见表 5-1-6）仍符合前述离子含量分布规律，Ca^{2+} 在渭北自西向东呈波动减小趋势，在石川河—洛河段达到最小值，与此同时，其余离子也相应增加。

表 5-1-6　20 世纪 90 年代年水化学场空间分布特征（1990）

水文地球化学分区		水化学类型	pH 值	矿化度 (g/L)	硬度 (mg/L)	离子含量（mg/L）					
						Ca^{2+}	Mg^{2+}	Na^+	Cl^-	SO_4^{2-}	HCO_3^-
渭河以北	漆水河以西	H－CM HS－CM	7.4	0.42	381.7	88.5	30	39	43.2	48.4	383.8
	漆水河—泾河	H－M H－CM H－N HL－MN	7.55	0.71	422.7	58.2	64.2	115.7	91.6	80.4	509.1
	泾河—石川河	H－N HL－MC LH－N SH－N	7.55	1.147	547.2	67.9	105.4	157	211.2	135.4	608.7
	石川河—洛河	H－N HL－N SLH－M LS－M HS－N LH－N HSL－NM	7.84	1.52	646	48.1	139.1	327	376.8	276	678
	洛河—黄河	HLS－M H－CM H－N HL－N HS－N	7.49	0.88	559	52	76.3	185.7	115	153.9	631
渭河以南	山前洪积扇	H－CM H－N LH－CN	7.23	0.388	327	105	21.2	17.86	21.24	69.2	439.3
	冲积平原	H－CM HS－CN H－N	7.4	0.628	422.2	98.6	57.1	153.5	125.1	323.3	513.8

注：表中 H 代表 HCO_3，S 代表 SO_4，L 代表 Cl，C 代表 Ca，M 代表 Mg，N 代表 Na；数据都为均值。

与2001年不同的是,在漆水河以西地段,Na$^+$含量已经高于Mg^{2+}含量;漆水河—洛河段,Cl$^-$增加迅猛,已高出SO$_4^{2-}$含量。以上差异可通过矿化度–离子含量曲线直观地看到,如图5-1-14所示,Na$^+$曲线高于Mg^{2+}曲线,图5-1-15~图5-1-17中,Cl$^-$曲线均高于SO$_4^{2-}$曲线。其余地段,离子曲线特征与2001年相似,如图5-1-18~图5-1-20所示。

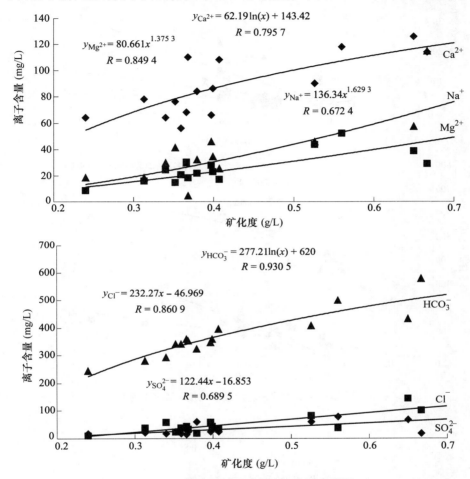

图 5-1-14　漆水河以西矿化度–离子含量图

5.1.2.3　关中盆地浅层地下水水化学场时域演化特征

自20世纪70年代以来,受人类活动的加剧和气候与水文因素变异的影响,地下水动力场在发生变化的同时,也相应地驱动着地下水水化学成分发生演化。通过区内20世纪70年代资料的整理和对80年代、90年代和现状情况三期水化学场的比较,从时间尺度来看,天然水化学场改变主要发生在人类活动比较剧烈的渭北地区,渭河以南变化不明显。其演化特征如下:

(1)漆水河以西,天然水化学场平均矿化度略有增高(见图5-1-21);硬度在1984~1990年呈增长趋势,而1990~2001年维持平衡(见图5-1-21);pH值总体增大,但水化学类型基本不发生改变,仅在局部地带如岐山县县城,宝鸡市区,洪积扇与黄土台塬交汇低洼处,由于人为污染等因素出现了SO$_4$·HCO$_3$型、SO$_4$型、HCO$_3$·Cl型水。

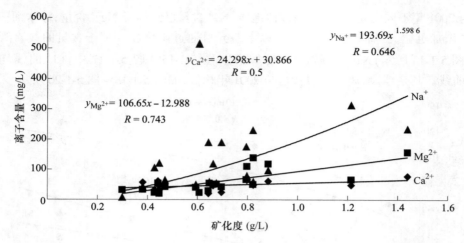

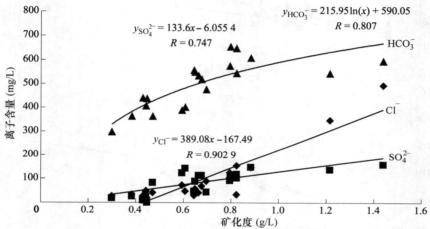

图 5-1-15　漆水河—泾河段矿化度 – 离子含量图

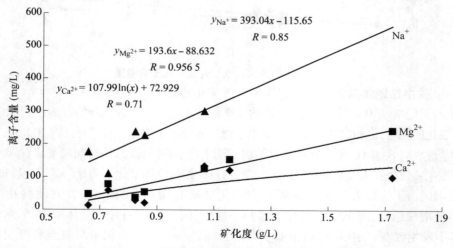

图 5-1-16　泾河—石川河段矿化度 – 离子含量图

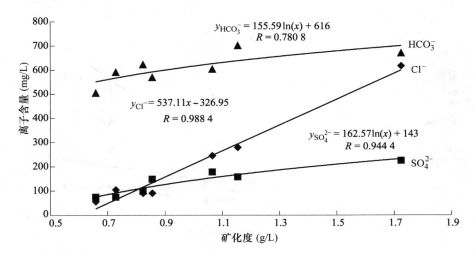

续图 5-1-16

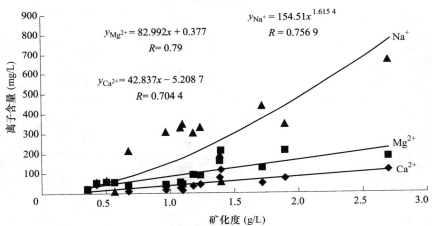

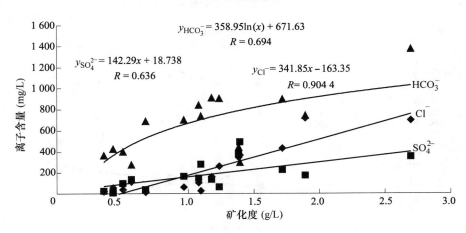

图 5-1-17　石川河—洛河段矿化度 – 离子含量图

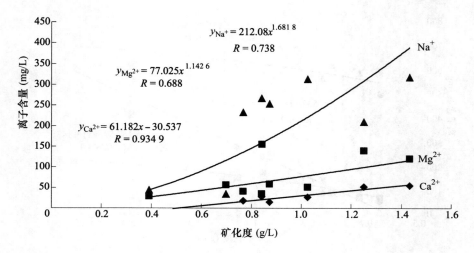

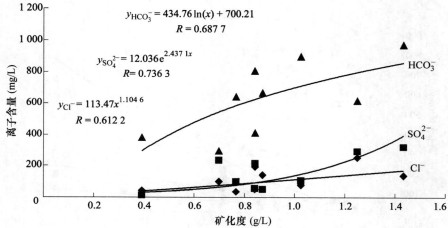

图 5-1-18 洛河—黄河段矿化度–离子含量图

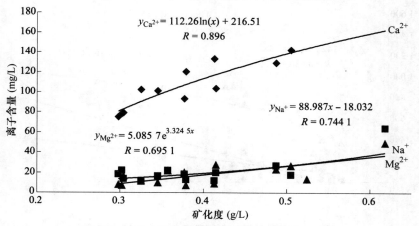

图 5-1-19 渭南山前洪积扇矿化度–离子含量图

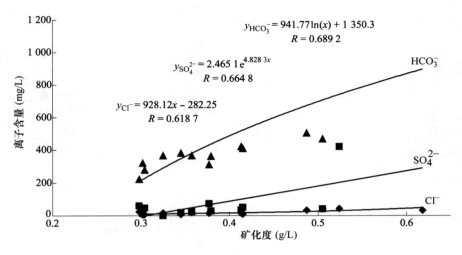

续图 5-1-19

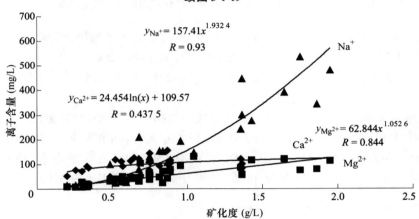

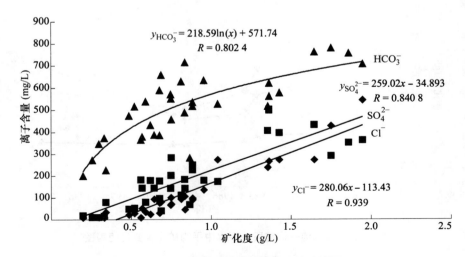

图 5-1-20　渭河冲积平原矿化度 – 离子含量图

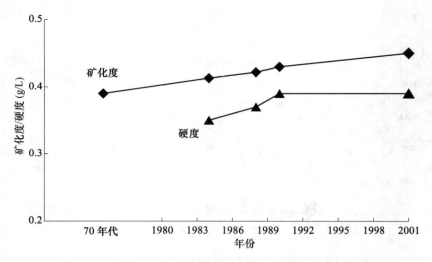

图 5-1-21　漆水河以西地下水中平均矿化度与硬度变化趋势图

　　(2)漆水河—洛河段,矿化度由 70 年代至 80 年代末呈下降趋势,而 90 年代后呈增长趋势(见图 5-1-22);硬度 1984～1990 年呈增加趋势,而 1990～2001 年变化不大,基本维持平衡(见图 5-1-23),pH 值总体呈增加趋势(见图 5-1-24)。同时,还伴随着水化学类型的改变(见表 5-1-7、表 5-1-8)。

　　(3)洛河—黄河段,矿化度和硬度从 70 年代到 2001 年呈减小趋势(见图 5-1-25),水化学类型 70 年代 $Cl \cdot SO_4$ 型水占 40%,$HCO_3 \cdot SO_4$ 型水占 30%,其余为 30%;1990 年 $HCO_3 \cdot Cl$ 型水占到 85% 左右,其余为 15% 左右;2001 年 $HCO_3 \cdot SO_4$ 型水占 50% 左右,$HCO_3 \cdot SO_4 \cdot Cl$ 型水占到 45% 左右,其余在 5% 左右;pH 值 1990 年为 7.49,2001 年为 8.03。

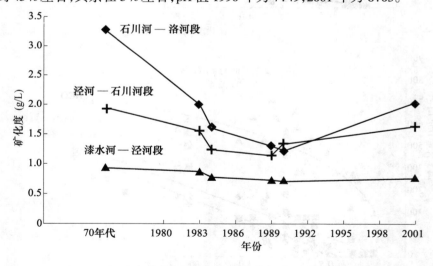

图 5-1-22　漆水河—洛河段地下水中平均矿化度变化趋势图

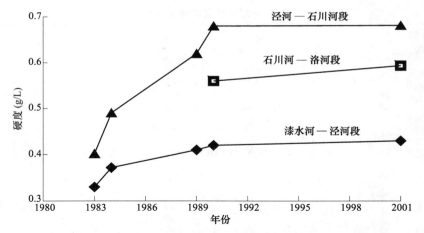

图 5-1-23　漆水河—洛河段地下水中平均硬度变化趋势图

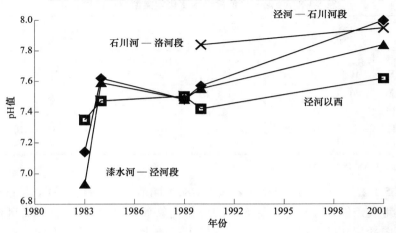

图 5-1-24　渭北地区潜水中平均 pH 值变化趋势图

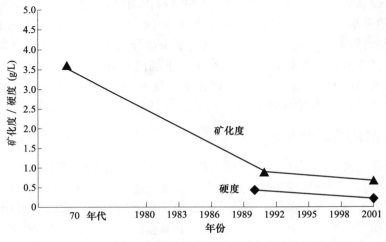

图 5-1-25　洛河—黄河段潜水中矿化度与硬度变化趋势图

表 5-1-7　漆水河—泾河段潜水水化学类型变化趋势

水化学类型改变地段	演变特征			
	70年代	1984年	1990年	2001年
乾县县城(位于洪积扇区)	由 HCO₃–Cl 和 HCO₃–SO₄ 型水组成	HCO₃–Cl 型水与70年代相比面积进一步扩大，HCO₃–SO₄ 型水基本消失	以 HCO₃ 型水为主	以 HCO₃ 型水为主,局部地段出现 HCO₃–Cl 水
塬面洼地	以 HCO₃–Cl 和 HCO₃–SO₄ 型水为主	基本上被 HCO₃–Cl 型水所代替		以 HCO₃–SO₄ 型水为主
渭河阶地	在阶地后缘出现条带状 HCO₃–SO₄ 型水,其余地段为 HCO₃ 型水	出现大面积的 HCO₃–Cl 型水	HCO₃–Cl 型水仅出现在咸阳以西阶地区	以 HCO₃ 型水为主

表 5-1-8　泾河—洛河段潜水水化学类型所占面积统计

时段	泾河—石川河段水化学类型所占面积百分比（%）						石川河—洛河段水化学类型所占面积百分比（%）						
	H–S	S–H	H–L	L–H	H–S–L	S–L S–L–H	H–S	S–H	H–L	L–H	H–L–S	S–L	L–S
70年代	50	40				10	25	20				55	
1984年	15		50	35									
1990年	15		40		45		10		70	10	10		
2001年	15				70	15	10	5	5		55	15	5

注:表中 H 代表 HCO₃⁻,S 代表 SO₄²⁻,L 代表 Cl⁻。

对比图 5-1-22 ~ 图 5-1-25、表 5-1-7、表 5-1-8,不同地段差异性比较明显,这与区内地质地貌和水文地质条件是一致的。受人类活动和气象水文因素变异的影响,区内天然水化学场总体上向盐化和碱化以及水化学类型趋于复杂化、水质变差的方向演化。这个演化过程与本区水动力场演化规律基本一致。在 70 年代到 1990 年由于大量引低矿化度地表水灌溉,导致区域地下水位普遍上升,受混合和稀释作用以及土中富含 Ca、Mg 矿物大量溶解的影响,地下水中矿化度呈减小趋势,硬度增加;90 年代以后虽然区内地下水位出现大幅度下降趋势,但由于前期水位上升,导致土壤中盐分大量累积,在灌溉和降水作用下将土壤中盐分又带入到地下水中,使地下水水化学场向盐碱化方向发展,同时 Ca、Mg 离子基本达到饱和,HCO₃⁻ 虽有增加,但相对含量在减少,Na⁺、SO₄²⁻ 与 Cl⁻ 含量在急剧增加,加之人为污染的叠加使水化学类型趋于复杂,水质向变差的方向发展。

5.1.3　时空演化的影响因素分析

地质地貌和气候、水文条件及人为因素是影响关中盆地地下水化学成分的形成及演化的四个主要因素。地质地貌和水文因素决定了地下水化学成分的形成及分布,气候因素和人为因素则控制了地下水化学场的演化过程。在上述四个因素的共同作用下,地下水化学场空间和时间上表现出一定的规律性。下面着重分析地貌、气候、水文和人为因素等对化学场时空演化的影响程度。

5.1.3.1 自然因素

1)地貌

关中盆地地势自西向东逐渐倾斜,形成降落之势,西部海拔较高。漆水河以西地区为500~1 000 m,地形坡度大,因而本区水循环条件好,水交替积极,水化学类型单一,多为HCO$_3$型,矿化度小于0.5 g/L;漆水河—泾河段地面坡度减小为1/50~1/150,其黄土台塬与河谷阶地地形高差200 m,水化学类型至此多表现为HCO$_3$ – Na型水,矿化度多小于1 g/L;而河谷阶地由于高程较低,潜水埋藏浅,水化学类型有时会出现HCO$_3$·CL – Na型(1984年),矿化度可能大于1 g/L;泾河—洛河段地形坡度减小为1/300~1/600,地势低平,含水层颗粒细,地下水径流至此受阻,甚至几乎停滞,水循环条件差,因而该地段水化学类型变得复杂和多样化,有SO$_4$、Cl型水出露,矿化作用强,矿化度大于1 g/L;最高可达10.03 g/L(2001年),有大面积盐化水分布及咸水出露。

地貌是控制该研究区浅层地下水水化学特征的主要因素。上述三期水化学分布特征的共同点是从盆地边缘山前洪积扇至盆地中心河谷阶地,水化学类型、矿化度、硬度及离子含量的分布特征随地貌呈渐变性规律分布。图5-1-26和图5-1-27为渭南市附近一剖面(2001年)的采样点水化学成分及矿化度、硬度随地貌变化的曲线图,从图中可以看出,地貌条件对离子含量、矿化度、硬度等控制作用明显。

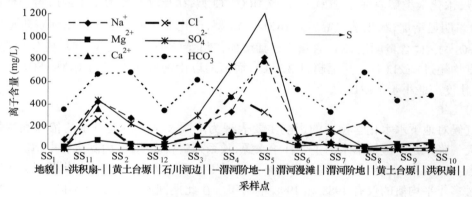

图5-1-26　富平—渭南剖面水化学成分随地貌变化曲线(2001)

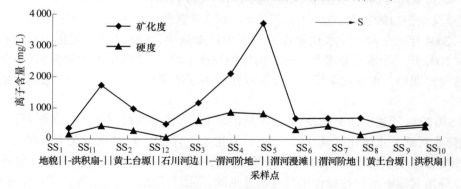

图5-1-27　富平—渭南剖面矿化度、硬度随地貌变化曲线(2001)

在渭河以北,位于洪积扇区的 SS_1 点以 HCO_3^- 为主,含量为 346.3 mg/L,其余离子含量均很小,Na^+、Mg^{2+}、Ca^{2+} 离子含量分别为 90.23 mg/L,66 mg/L 和 70.76 mg/L,SO_4^{2-} 仅有 12.08 mg/L,Cl^- 更小,为 5.56 mg/L;其矿化度、硬度分别为 0.346 g/L 和 148.7 mg/L。至洪积扇前缘的 SS_{11},各离子含量均有增加,尤其是矿化度、硬度剧增为 1.72 g/L 和 417.9 mg/L。黄土台塬区 SS_2 点 HCO_3^- 含量增加,其余离子含量也较洪积扇区 SS_1 点高。SS_{12} 采样点位于石川河边,各离子含量有明显减少,矿化度 0.478 g/L,硬度为 50.04 mg/L;至渭河阶地,SO_4^{2-} 含量不断上升,并超过了其他采样点(SS_4、SS_5)离子含量,SS_5 点 Na^+ 含量占据第二,为 815.6 mg/L,Cl^- 含量也明显增加,为 333.8 mg/L,Ca^{2+} 含量明显减少,为 106.7 mg/L,矿化度增加为 3.72 g/L,硬度为 813.5 mg/L。在渭河以南,HCO_3^- 含量又占据主导地位,渭河阶地 SS_7 点 SO_4^{2-} 含量位居第二,Na^+ 含量也较高,为 146.5 mg/L,矿化度为 0.68 g/L,硬度为 425.5 mg/L。而黄土台塬区的 SS_8、SS_9 点 HCO_3^-、Na^+ 高于其他离子含量。秦岭山前洪积扇区只有 HCO_3^- 含量较高,Ca^{2+} 含量也比 SS_8、SS_9 高出 36.46 mg/L 和 11.17 mg/L。

可见,地貌对水化学分布特征具有重要的控制作用,一般表现为在洪积扇区 HCO_3^- 含量较高,水化学类型表现为 $HCO_3 - Ca(Ca \cdot Mg$ 或 $Na)$ 型,矿化度一般小于 0.5 g/L;洪积扇前缘,水化学类型表现为 $HCO_3 \cdot SO_4$ 或 $HCO_3 \cdot Cl$ 型,矿化度多数大于 1 g/L;黄土台塬区 Na^+ 含量明显增加,水化学类型多为 $HCO_3 - Na$ 型,矿化度一般小于 1 g/L;河谷阶地区表现为 SO_4^{2-}、Cl^- 含量剧增,Na^+ 含量也迅猛增加,渭北河谷阶地出现 SO_4 型、甚至 Cl 型水,矿化度均超过1 g/L(有的甚至超过 3 g/L),而渭河以南河谷阶地多为 $HCO_3 \cdot SO_4 - Na$ 型水,矿化度一般小于 1 g/L。

2)气候

气候对地下水水化学特征的影响主要表现为降雨及蒸发对地下水的稀释和浓缩作用。大气降水是本区地下水的主要补给来源,长系列资料表明,区内降水有丰枯周期变化的特点。1980～1985 年为丰水时段,1986～1994 年 8 年间又连续干旱,在此期间关中降水量超过多年平均值的仅有 1988 和 1998 年两年。在此期间蒸发量也有不同,图 5-1-28 为多年降水、蒸发历时曲线对比图,1984 年为丰水年,而 1990 年、2001 年均为枯水年,再加上1984 年蒸发量少,1990 年、2001 年都较 1984 年蒸发强烈。降水的稀释作用对 1984 年、1990 年、2001 年三个水平年水化学成分的影响逐渐减小,而蒸发的浓缩作用对 1984 年、1990 年、2001 年三个水平年水化学成分的影响却逐年增加,总体呈现干旱少雨、蒸发强烈之势,这与三期地下水水化学特征总体朝着盐分不断浓集的方向发展的变化趋势是相辅相成的。

图 5-1-29 为所述剖面分别在枯、丰水期的矿化度、硬度曲线对比图。从图可以看出,丰水期降水对地下水矿化度、硬度的影响是渭北大于渭河以南,其次渭北丰水期地下水矿化度、硬度普遍小于枯水期,尤其在渭河阶地极为明显。由于雨水一般为低矿化重碳酸水,所以降雨对地下水的稀释作用是显而易见的,降雨补给地下水,使得其矿化度减小、硬度降低。而河谷阶地因为地下水水平径流停滞,地下水排泄大多以垂直蒸发为主,蒸发量远大于降雨量,所以在枯水期地下水矿化度、硬度会出现明显上升,远高于丰水期的值。

其余地段由于降雨相对充分,蒸发相对较弱,丰、枯水期矿化度、硬度较小,尤其渭河以南秦岭山前地势较高,雨量充沛,水交替积极,丰、枯水期差别甚微。

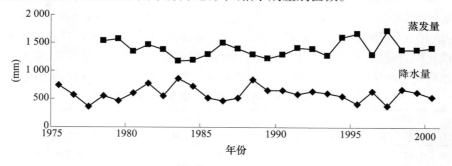

图 5-1-28　多年降水、蒸发历时曲线对比图

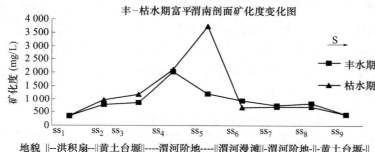

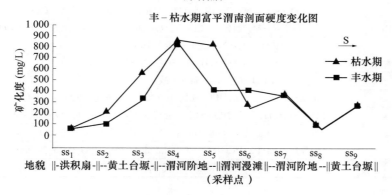

图 5-1-29　富平—渭南剖面丰－枯水期矿化度、硬度变化图(2000.12～2001.4)

3)水文因素

河流是关中盆地地下水的主要补给来源之一,不仅在量的方面直接影响地下水资源的保证程度,而且在质的方面也直接影响地下水水质的形成和开采利用的可能性。受区域地质构造、气候、地形、岩性等条件的制约,河流与地下水的关系特别密切。

表 5-1-9 为渭河水系河水矿化度分级表,由表 5-1-9 可见,渭河水系河流年平均矿化度多在 0.5 g/L 左右,只有泾河、北洛河、县西河在 0.8 g/L 左右,盆地内各河流的矿化度均比沿岸地下水矿化度低,河水渗漏补给导致地下水淡化,甚至改变其化学组成。渭河水系

同年度的矿化度平均值显示了从上游到下游逐渐增大的趋势,这与地下水矿化度的增长趋势相一致。随着径流的加长,河水不断溶滤两岸土石中的盐分,使得河水矿化度不断增加,尤其泾河以东河流矿化度较高。北岸河流多源于干旱少雨的黄土高原,河流源远流长,水－岩相互作用时间长,盐分积累多,含盐量高,再加上支流流量小,所以北岸河水对地下水的淡化能力较弱,尤其泾河以东更弱。渭河南岸支流河水矿化度值偏低,多为 0.1~0.3 g/L,河水对地下水化学成分的形成作用主要表现为淡化(稀释)作用,淡化能力较强。

表 5-1-9　渭河水系河水矿化度分级表(按年平均值)　　　　　(单位:g/L)

河流	渭河			渭河南岸			渭河北岸						
	上游	中游	下游	石头河	沣河	浪河	潜河	横水河	漆水河	泾河	北洛河	县西河	黄河
矿化度	0.4 ~ 0.57	0.41 ~ 0.54	0.417 ~ 0.502	0.19 ~ 0.32	0.136 ~ 0.213	0.207 ~ 0.31	0.325 ~ 0.384	0.536	0.381 ~ 0.423	0.527 ~ 0.693	0.738 ~ 0.825	0.79 ~ 0.812	0.456 ~ 0.477

河流的化学成分同样对地下水化学成分产生影响。区内河流主要水化学类型为 $HCO_3 \cdot SO_4 - Na \cdot Ca(Na \cdot Mg$ 或 $Ca \cdot Na)$ 型水,次为 $HCO_3 - Ca \cdot Na($或 $Ca \cdot Mg)$型水和 $HCO_3 - Na \cdot Mg(Na$ 或 $Na \cdot Ca)$型水,个别河流部分时段出现 $SO_4 \cdot HCO_3 - Na \cdot Ca($或 $Na \cdot Mg)$水及 $HCO_3 \cdot Cl - Na \cdot Ca$ 水(见表 5-1-10)。

表 5-1-10　关中盆地河水化学类型(汪东云,1981)

河流		河 水 化 学 类 型
渭河	上游	$HCO_3 \cdot SO_4 - Na \cdot Ca$, $HCO_3 - Ca \cdot Na$,个别 $HCO_3 \cdot Cl - Na \cdot Ca($或 $Na \cdot Mg)$
	中游	$HCO_3 \cdot SO_4 - Na \cdot Ca($或 $Na \cdot Mg)$, $HCO_3 - Ca \cdot Na($或 $Na \cdot Ca)$
	下游	$HCO_3 \cdot SO_4 - Na \cdot Ca($或 $Na \cdot Mg)$, $HCO_3 \cdot Cl - Na \cdot Ca$, $HCO_3 - Ca \cdot Na$,个别 $SO_4 \cdot HCO_3 - Na \cdot Mg$
渭河南岸	石头河	$HCO_3 - Ca \cdot Na($或 $Ca \cdot Mg)$, $HCO_3 \cdot SO_4 - Ca \cdot Na$
	浪河	$HCO_3 - Ca \cdot Na$, $HCO_3 \cdot SO_4 - Na \cdot Ca($或 $Na \cdot Ca)$
	潜河	$HCO_3 \cdot Cl - Ca(Na \cdot Ca$ 或 $Na \cdot Ca$ 或 $Ca \cdot Mg)$
渭河北岸	漆水河	$HCO_3 \cdot SO_4 - Na \cdot Ca$, $HCO_3 \cdot Cl - Ca \cdot Na$,个别 $SO_4 \cdot HCO_3 - Na \cdot Ca$
	泾河	$HCO_3 \cdot SO_4 - Na \cdot Mg$,个别 $HCO_3 \cdot Cl - Mg \cdot Na$, $SO_4 \cdot HCO_3($或 $SO_4 \cdot Cl) - Na \cdot Mg$
	北洛河	$HCO_3 \cdot SO_4 - Na \cdot Mg$,个别 $SO_4 \cdot HCO_3 - Na \cdot Ca($或 $Na \cdot Mg)$, $Cl \cdot SO_4 - Na \cdot Mg$
	县西河	$HCO_3 \cdot SO_4 - Na \cdot Ca$, $HCO_3 \cdot Cl - Ca \cdot Na($或 $Na \cdot Mg)$, $SO_4 \cdot HCO_3 - Na \cdot Ca$
	黄河	$HCO_3 \cdot SO_4 - Ca \cdot Na($或 $Na \cdot Ca$ 或 $Na \cdot Mg)$

从表中可以看出,渭河水系阴离子含量以 HCO_3^- 为主,北岸漆水河以东河段 SO_4^{2-} 含量较高,阳离子含量除南岸支流 Ca^{2+} 含量占优外,大部分河流均以 Na^+ 含量占首位。所以当河水补给地下水时,除北岸漆水河以东河流对地下水的淡化作用较弱外,其余河流对地下水化学成分的影响作用是显而易见的,以 HCO_3^-、Ca^{2+}、Na^+ 为主要化学成分的河水补给地下水时,会不同程度地起到淡化(稀释)作用。

此外,河水水化学成分的动态变化,河流对地下水补给类型的不同,河水流量的大小也会不同程度地影响地下水化学特征。

5.1.3.2　人为因素

人为因素对地下水化学场的影响主要包括开采和灌溉引起的地下水动力场的演化而

促进地下水化学场的时空演化。人类活动对地下水系统施加强烈的作用后,使系统内部状态发生改变,如流场由天然状态变为人工干扰流场,水位变幅加大,流向改变,流速增大,集中表现在水位的时空变化上。

关中盆地共有 10 个大型灌区(见图 5-1-30),仅石头河灌区位于渭河以南,其余 9 个均分布在渭河以北,因各自所处地理位置不同,故地形、地貌、水文地质条件也不尽相同。灌区地下水位的变化除了与降水等因素有关外,主要受控于地表水灌溉量、地下水开采量以及灌溉方式等。如宝鸡峡与冯家山灌区灌溉之前,地下水位的年际变化很小,民井水位几十年甚至几百年以来无多大变化。但是在两大灌区大面积灌溉后,由于大量引地表水灌溉以及不合理的灌水定额、灌水方式和渠道渗漏,促使地表水渗入地下,增加了地下水的补给量,且丰水年降雨与灌溉交错叠加,而开采量很小,使地下水采补失调,引起地下水水动力场及化学场的变异。

灌溉的水质无疑对地下水水质产生影响。目前灌区几乎全部采用地面灌溉,水源大部分来自过境地表水,总体灌溉技术落后,水资源浪费严重,灌溉水质渭河下游较上游差,均不符合 GB5084—92《农田灌溉水质标准》要求(见表 5-1-11),可以看到各灌区引灌的地表水中,大多是Ⅳ类以上水质,将此类水引灌后,只会带来地下水的污染,并且随着地下水流动,使得下游的水质更加恶劣。2000 年泾惠、交口灌区水质均为Ⅴ类、超Ⅴ类,这将加剧灌区水质恶化,从而体现在 2001 年两灌区水化学类型分别为 $HCO_3 \cdot SO_4 \cdot Cl$ 和 $HCO_3 \cdot SO_4 \cdot Cl$、$SO_4 \cdot Cl \cdot HCO_3$、$Cl \cdot SO_4 \cdot HCO_3$、$SO_4 \cdot Cl$、$SO_4 \cdot HCO_3$、$Cl \cdot SO_4$ 型水,水质明显受灌溉水质影响。

表 5-1-11 灌区灌溉水源及其水质

灌区	水源	1986 年水质	2000 年水质
冯家山	千河	Ⅳ	Ⅲ
宝鸡峡	渭河	Ⅳ	Ⅲ
羊毛湾	漆水河	Ⅳ	Ⅲ
泾惠	泾河	Ⅱ	37.7%Ⅴ,62.3%超Ⅴ
桃曲坡	漆水河		
交口	渭河	Ⅳ	超Ⅴ类
洛惠	洛河	Ⅴ	30.9%Ⅳ,69.1%Ⅴ、超Ⅴ
东雷抽黄	黄河		

注:数据引自"陕西省水资源公报"1990、2000。

农田灌溉对地下水产生的影响亦与灌溉方式、灌溉水量有关。20 世纪 70～80 年代,区内大量引地表水灌溉,采取兴渠废井、大水漫灌的方式,大量的地表水被引灌到田间,低矿化水大量渗漏,地下水位上升;80 年代后期至 90 年代初期改进灌溉技术,推行漫灌改块灌的方式;进入 90 年代后期,由于气候干旱和喷灌等节水灌溉技术的进一步推广,灌溉引水量大幅减少,地下水位回落。

综观近 30 年来的灌区水位变化,灌溉方式、灌溉水量对地下水水质的影响是不容忽视的,大水漫灌对于水位埋深较大且矿化度高地区的地下水起到一定的稀释作用,使水质好转,但对地下水位埋深浅的地区造成土壤盐渍化,使得地下水质进一步恶化。如图 5-1-31

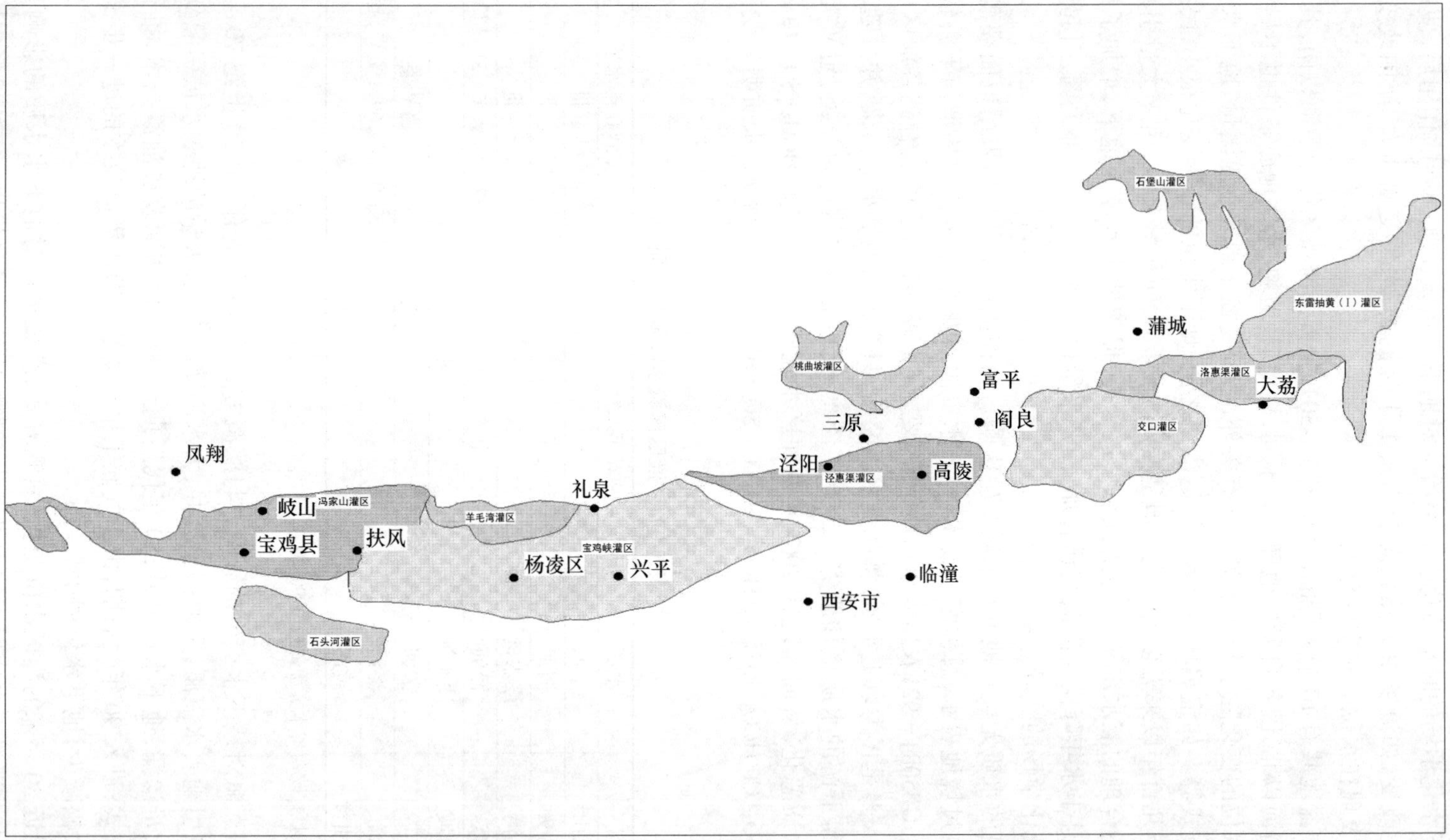

图 5-1-30 关中盆地大型灌区分布图

所示,80年代前期由于地下水位普遍上升,导致地下水埋深浅的灌区如宝鸡峡塬下灌区、泾惠灌区、交口灌区土壤盐渍化,地下水矿化度、硬度升高,盐分积累,水化学类型依次表现为 HCO₃·CL 型、HCO₃·Cl 型甚至 CL·HCO₃ 型、SO₄·Cl 甚至 Cl·SO₄ 型。地下水埋藏深的灌区则局部淡化地下水,起到稀释作用,使得地下水矿化度减小,硬度降低。1990年全区水质普遍好转,矿化度普遍减小。与1984年相比,由于宝鸡峡塬下灌区、交口灌区水位回落,盐渍化程度减小,水质明显好转,矿化度较1984年明显减小,交口灌区最为显著。水化学类型为 HCO₃ 型、HCO₃·SO₄型和 HCO₃·SO₄·CL 型、HCO₃·CL 型和 CL·HCO₃ 型。到2001年,降雨减少蒸发浓缩作用加剧,矿化度较1990年又有升高,地下水平衡状态被再次打破,盐分浓集,矿化度不断增大,pH值不断增大,水质朝着盐碱化方向不断恶化。

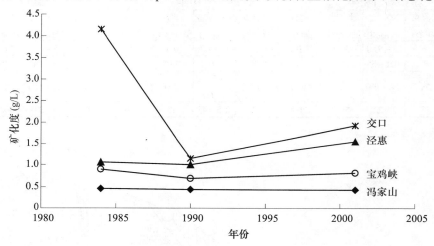

图 5-1-31　四大灌区平均矿化度历时变化图

综上所述,关中盆地地下水水化学场演化是水文地质条件、人类活动强度与方式、气象、水文因素综合作用的结果。

5.2　人类释放的环境物质

人类释放的环境物质指人类生产和生活过程中进入环境介质,并对人类生存和人体健康产生各种直接或间接影响的物质。主要有工业"三废"、生活污水以及化肥、农药等,这些物质通过各种途径进入地下水中,叠加到天然水化学场中,使水文地球化学环境恶化,水质污染。区内受人类生产和生活的影响,地下水的水质均受到不同程度的污染,其中潜水污染重于承压水,平原重于丘陵区,城市重于农村。人类释放的环境物质对地下水水化学场影响主要体现在以下几个方面。

5.2.1　地下水中 NO₃⁻ 含量呈增高趋势

在20世纪50年代以前,由于生产力低下,工农业落后,人类活动释放的物质对地下水的影响甚微,仅在人群聚居地周围由于人类遗弃的含氮有机物,在一定条件下转化为硝酸盐随水渗到浅层地下水中,形成富含硝态氮的地下肥水。20 世纪 70 年代以后,随着农业大量使用化肥及工业与生活污水大量排放,使地下水产生污染。对比以往资料,发现从 1982~2001 年 20 年内,区内地下水 NO_3^- 平均含量和超标率均有明显上升趋势(如表 5-2-1 所示)。由 2001 年 1 月采样分析得出的关中盆地潜水硝酸盐分布(如图 5-2-1)可以看出,潜水硝酸盐污染(NO_3^- 含量超过 90 mg/L,或 $NO_3^- - N$ 超过 20 mg/L)主要分布在交口灌区、泾惠灌区、冯家山灌区及宝鸡峡灌区,在兴平、西安、咸阳、渭南等人口密集的城镇周围、垃圾场附近以及排污口有零星分布。

表 5-2-1 关中盆地潜水中 NO_3^- 含量变化对比

地区	1982 年				1990 年				2001 年			
	监测点数(个)	NO_3^- 含量(mg/L)	平均含量(mg/L)	超标率(%)	监测点数(个)	NO_3^- 含量(mg/L)	平均含量(mg/L)	超标率(%)	监测点数(个)	NO_3^- 含量(mg/L)	平均含量(mg/L)	超标率(%)
兴平	7	23~50.1	38.1	0	3	0~0.2	0.1	0	8	5~650	171.1	37.5
三原	8	0.1~55	11.9	0	4	0~0.1	0.05	0	3	45~346	166	66.7
蒲城	28	2~1 400	118	16.7	17	0.5~2 000	220	33.3	12	11~650	120.75	42.9
富平	15	2~225	51.9	21.4	12	2.5~45	19	10	14	6~304	102.5	41.7

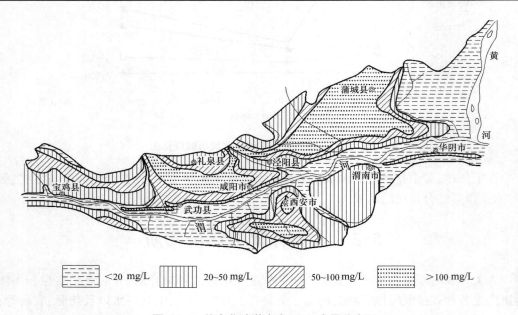

图 5-2-1 关中盆地潜水中 NO_3^- 含量分布图

这充分说明人类活动是区内地下水中 NO_3^- 含量升高的直接原因。人工氮肥(尿素、碳铵、硫铵、硝铵)和有机肥均含有大量的氮化物,进入土壤后最终以铵氮($NH_4^+ - N$)形式存在,其中一部分被植物和作物吸收(固氮作用);一部分在微生物的作用下,经硝化作用转变成 $NO_3^- - N$,随入渗水直接进入含水层;另一部分被土壤颗粒吸附而滞留于包气带中,在灌溉水不断淋滤作用下,积累的 $NH_4^+ - N$ 又可不断转化成 $NO_3^- - N$ 而持续进入地下水并累年聚集,不断蒸发浓缩,造成浅层地下水次生污染。据有关资料,关中灌区每年施用的化学氮肥量平均达到 3 750 kg/hm² 左右,而被水、旱地作物吸收的不到 50%。区内地势平坦,包气带及含水层大多由黄土组成,垂直节理发育,水平方向径流滞缓,为 NO_3^- 的积累提供了有利条件。长期不合理的灌溉引起地下水位上升,包气带厚度变薄而自净能力降低,有利于地表 NO_3^- 渗透和迁移。此外灌区水源也是一个不可忽视的因素,由于宝鸡峡灌区、交口灌区与泾惠灌区是引渭河干流和泾河水为灌溉水源,其他灌区均是引用水库水。渭河干流与泾河每年要接纳大量工业废水和生活污水,特别是沿途城镇氮肥厂排出的污水,氨氮含量高(如咸阳氮肥厂排污口检出的氨氮含量为 150.9 mg/L),所以用此水源灌溉必然引起地下水 NO_3^- 含量的升高。因此,在宝鸡峡灌区的兴平、咸阳段的黄土台塬,交口灌区的黄土台塬和冲积平原区,NO_3^- 污染程度和范围均明显高于其他地区。

5.2.2　有毒元素检出

受人类活动引起的污染影响,关中盆地城市周边地下水中有毒元素不同程度被检出,不仅使潜水受到不同程度的污染,而且也威胁到承压水。如西安、宝鸡、渭南、咸阳等城市的地下水有毒元素均有不同程度检出,如西安近郊潜水中从 1980～1986 年酚、六价铬、汞、砷、氟等有害物质含量均有加重趋势;咸阳市潜水中砷、六价铬、氟超标率分别为 8.7%、21% 和 78%,最高检出值为 0.04 mg/L、0.24 mg/L 和 2.3 mg/L。承压水中砷、六价铬、氟超标率分别为 9%、13% 和 65%;宝鸡市承压水中六价铬、砷、酚超标率分别为 50%、47.5% 和 25%(见表 5-2-2)。

表 5-2-2　关中地区主要城市地下水污染现状

城市	地下水类别	污染状况
西安市	潜水	氯化物、硝酸盐氮、氟、酚、六价铬超标面积分别为 45 km²、470 km²、109 km² 和 3.45 km²,最高检出值分别最高检出值为 145 mg/L、470 mg/L、304 mg/L、0.033 mg/L 和 0.129 mg/L
	承压水	总硬度、硝酸盐氮、六价铬超标面积分别为 2 km²、7.5 km²、3 km²,最高检出值为 31.6 德国度,136 mg/L 和 0.53 mg/L
咸阳市	潜水	砷、六价铬、氟超标率分别为 8.7%、21% 和 78%,最高检出值为 0.04 mg/L、0.24 mg/L、2.3 mg/L,氟、六价铬超标面积为 56.8 km² 和 13.8 km²。
	承压水	砷、六价铬、氟超标率分别为 9%、13% 和 65%,超标面积分别为 27 km²、3 km² 和 4 km²
宝鸡市	承压水	氨氮、亚硝酸盐氮超标率分别为 1.4% 和 2.8%,硝酸盐氮、六价铬超标率分别为 23.6% 和 50%,砷、酚超标率分别为 47.5% 和 25%,氟、汞超标分别为 8.6 倍和 3 倍
渭南市	自来水	大肠杆菌检出为 4 个/L,不符合饮用水标准
铜川市	自来水	市区 11 眼深井和 31 眼浅井监测表明:重污染占 4.8%,中度污染占 36.9%,轻度污染占 41.7%,未污染仅占 16.6%。酚在王家河、史家河至川口地段超标率分别为 28.6% 和 22.7%,六价铬在北关、王家河超标率为 7.1% 及 14.3%
韩城市	地下水	大多数井水细菌总数与大肠杆菌数超标,下峪口、东北庄、南北潘庄至薛村一带、山底村、后窑头等地地下水氟含量 >1 mg/L,东北庄铅离子含量超标

5.2.3　地下水中磷酸盐与 COD 普遍检出

根据 2001 年 235 个水样监测结果发现,磷酸盐与 COD 普遍检出,检出率分别为

94.1%和100%，而且具有一定成片分带性(如附图7和附图8所示)，说明潜水不同程度遭受磷酸盐和有机物污染。磷酸盐主要分布在渭河冲积平原、黄土台塬中前部的地下水中，含量一般在 0.1~0.15 mg/L 之间，在乾—礼—兴—咸黄土台塬、漆水河与泾河以及石川河与洛河之间的冲积平原局部地段成片地出现了磷酸盐含量大于 0.15 mg/L 现象，最大检出值 0.24 mg/L，其余地段潜水中磷酸盐含量一般小于 0.1 mg/L。自然条件下，地下水中磷酸盐含量一般很小，不易检出，磷酸盐普遍检出，说明本区地下水已受到人类施用磷酸铵化肥与粪便等污染。COD是表征有机物污染的综合指标——化学需氧量，反映了有机物的污染程度。从图 5-2-2 可以看出，除了关中盆地西部岐山、凤翔、宝鸡等地，地下水中 COD 含量小于 1 mg/L 外，其余大部分地段地下水中 COD 含量为 1~1.5 mg/L，而在长安县以南、高陵县以北、固市洼地以及富平县洪积扇与黄土台塬交汇的低洼处地下水中 COD 含量为 1.5~2 mg/L 之间，甚至出现大于 2 mg/L 地段。有一定量磷酸盐和一定量 COD 的存在以及普遍含量很高的"三氮"，标志着人类活动对地下水污染的强度在增强。

从以上分析可以看出，人类活动对关中盆地地下水动力场和水化学场产生了强烈的影响，最终导致了生态环境的变化，甚至引起灾害。这既说明人类活动是水资源与生态系统发生变化的一个主要原因，又说明水资源在维系当地脆弱的生态环境中所起的决定性作用，一旦人类活动造成水资源的分配和格局发生变化，必然破坏水资源与生态环境之间的平衡。生态系统将向着与水资源相适应的方向发展，达到新的平衡。因此，在关中盆地经济发展中，应当重视对地下水资源的保护，人类各项活动都必须考虑对水资源与生态环境的影响，做到统筹兼顾、协调发展。

第6章 地下水资源评价与解析

6.1 地下水资源评价的原则和依据

6.1.1 计算分区与原则

关于关中盆地浅层地下水(300 m 以浅)资源评价工作,不同部门在不同时期已做过多次评价,为指导区内水资源合理开发利用提供了科学依据。受自然因素和人类活动加剧影响,区内近 20 年来,水文地质条件以及影响地下水形成的因素发生了较大变化,迫切需要对地下水资源尤其是可持续利用的资源量进行重新评价。另外,以往评价多采用补给量总和法或均衡法为代表的集中参数模型进行评价,很难得到不同开采方案下水动力场的变化。鉴于上述理由,本课题以地下水资源的可持续利用和生态环境协调发展为目标,在充分收集前人成果资料的基础上,补充完善新的资料,应用集中参数模型和分布参数模型相结合的评价方法对区内地下水资源进行重新评价。

地下水资源评价,仍以研究浅层(300 m 以浅)地下水补给量和可采资源量为评价目标,根据关中盆地水文地质条件,在充分分析研究补、径、排条件以及均衡要素等的基础上,按水文地质单元,结合补给条件、包气带岩性、水位埋深划分计算亚区,共划分了 8 个计算亚区,见表 6-1-1 和图 6-1-1。

表 6-1-1　关中盆地地下水资源计算亚区

计　算　区	亚区代号	亚　区
关中盆地	1	凤翔—礼泉黄土台塬
	2	宝鸡—咸阳低阶地
	3	宝鸡—户县低阶地
	4	宝鸡—周至黄土台塬
	5	三原—合阳黄土台塬
	6	泾阳—大荔低阶地
	7	西安—华阴低阶地
	8	长安—潼关黄土台塬

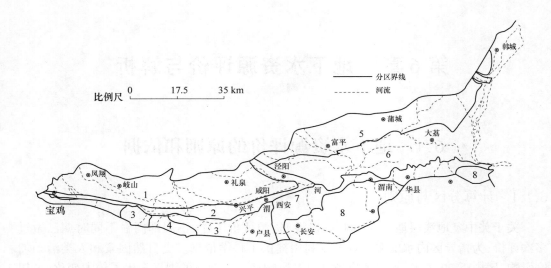

图 6-1-1　关中盆地地下水资源计算分区图

6.1.2　计算方法与依据

本次评价分别采用均衡法(集中参数模型)和数值模型(分布参数模型)评价地下水补给量和可采资源量。

对区内 1956～2003 年 48 年降水系列资料分析表明:1998 年关中盆地平均降水量639.3 mm,同时考虑到 1998 年研究区内各种源汇项资料比较齐全。因此,在均衡计算中选取 1998 年为均衡期。在均衡分析基础上,根据降水系列资料,利用均衡法对多年平均、50%、75%、95%频率下的地下水补给资源量进行了计算。

鉴于本区前人已有相当丰富的勘察研究成果、水文地质勘探试验、动态长观和气象水文等资料,本次评价是以充分收集整理前人资料为基础,在对已有资料的综合分析、补充完善新资料情况下开展评价。其中基础水文地质条件主要以陕西省第一、第二水文地质工程地质队和水利等相关部门勘察工作成果资料为基础;水资源评价中有关水文地质参数选取地质、水利等部门已有相关成果中具有代表性的水文和水文地质参数以及有关试验成果资料,经综合分析后确定;均衡期实际开采量以水利部门发布为准;动态资料主要采用地矿部门和水利部门记载的关中盆地地下水 20 多年的动态观测资料,约 500 个点;水文气象等资料系列从 1956～2003 年。

6.2　基于均衡法的地下水资源评价

6.2.1　地下水补给资源计算

6.2.1.1　计算公式

根据前几章分析,区内地下水的主要补给来源有大气降水、河水渗漏、水库渗漏、灌溉回归水入渗以及渠系渗漏,此外尚有部分侧向径流补给。地下水排泄项主要有潜水蒸发、

河流排泄、人工开采和侧向流出。据此,在均衡期内水均衡方程为

$$Q_{总补} - Q_{总排} = \mu \times \frac{\Delta H \times F}{\Delta t} \qquad (1)$$

其中

$$Q_{总补} = Q_{降} + Q_{河补} + Q_{渠系} + Q_{渠灌} + Q_{库} + Q_{井回} + Q_{侧} \qquad (2)$$

$$Q_{总排} = Q_{开} + Q_{河排} + Q_{蒸} + Q_{侧排} \qquad (3)$$

$$Q_{河补} = Q_{年径流} \times \alpha_{渗} \qquad (4)$$

$$Q_{河排} = Q_{年径流} \times \alpha_{河排} \qquad (5)$$

$$Q_{蒸} = 1\,000 \times \varepsilon \times \left(1 - \frac{D}{D_0}\right)^n \times F \qquad (6)$$

$$Q_{侧} = H \times B \times K \times I \qquad (7)$$

式中　　$Q_{开}$——实际开采量,$10^4\ \mathrm{m^3/a}$;

　　　　$Q_{河排}$——河流排泄量,$10^4\ \mathrm{m^3/a}$;

　　　　$\alpha_{河排}$——河流排泄系数,$\mathrm{m^3/(s \cdot km)}$;

　　　　$Q_{河补}$——河流渗漏补给量,$10^4\ \mathrm{m^3/a}$;

　　　　$\alpha_{渗}$——河水渗漏补给系数,$\mathrm{m^3/(s \cdot km)}$;

　　　　ε——水面蒸发强度,$\mathrm{mm/d}$;

　　　　D——潜水水位埋深,m;

　　　　D_0——潜水极限蒸发深度,m;

　　　　n——指数(取 $n = 3$);

　　　　μ——重力给水度;

　　　　ΔH——年平均水位变幅,m;

　　　　Δt——均衡期,a;

　　　　F——计算面积,$\mathrm{km^2}$。

6.2.1.2　参数选取

1)给水度(μ)

各个计算亚区给水度是根据各区段的地层岩性、水位埋深以及前人在区内的抽水试验计算值,并参考前几次地下水资源评价中的参数,经综合分析后确定(见表6-2-1)。

表 6-2-1　水位变幅带各岩类重力给水度"μ"值选取

地貌单元	变幅带岩性	水位埋深 (m)	μ
阶地及黄土台塬	黄土、黄土状粉质黏土	30～100	0.06～0.03
漫滩低阶地	粉质黏土、粉土、粉细砂、粉砂、砂砾卵石	5～10	0.18～0.08
漫滩	粉土、粉细砂、粉砂、细砂、砂砾卵石	<5	0.19～0.15
洪积扇	粉土、粉质黏土、砂砾卵石含泥、砂砾石、卵石含泥	<5	0.12～0.08

2)降水、灌溉入渗补给参数($\alpha_{降}$、$\alpha_{灌}$)、库塘水补给系数和井灌回渗参数

前人通过解联立水量均衡方程法、调节贮存量和补给量计算等方法(冉庚欣、赵春兰,1985)对多组参数计算结果表明,$\alpha_{降}$、$\alpha_{灌}$ 以及井灌回渗参数差别不大,其平均值一般可取

同一数值。因此，本次评价中将上述参数按同一数值对待，各计算亚区参数值取法是在综合分析水利、地矿部门等资源评价基础上，根据地貌、岩性和水位埋深合理选取，其选值如表6-2-2所示。库塘水补给系数直接选用前人资料。

表 6-2-2　关中盆地降水入渗系数

计算区	地貌类型	岩性	水位埋深					
			< 5 m	5~10 m	10~30 m	30~50 m	50~80 m	80~100 m
关中盆地	漫滩低阶地	细砂	0.25~0.35	0.2~0.25	0.15~0.20	0.1~0.15		
	低阶地	粉土、细砂	0.25~0.30	0.2~0.25				
	冲洪积扇	粉质黏土	0.20					
	老洪积扇	黄土	0.08					
	黄土台塬	黄土				0.12	0.08~0.12	0.05~0.08

3）河水渗漏补给系数与排泄系数

河水渗漏补给与排泄系数参照1986年陕西省地下水资源评价报告提供的数据，对区间值在实际计算中一般按平均值求取。

各计算区段参数取值见表6-2-3。

表 6-2-3　补给量计算参数

分区	地段	亚段	面积（km²）	埋深（m）	$\alpha_降$	μ	灌溉渗漏系数	库、塘渗漏系数	井灌回渗系数	河流渗漏系数	河流排泄系数
1	宝鸡市北—千阳河西	黄土台塬四级阶地	72.8	50~80	0.10	0.06	0.10	0.15	0.10	0.017 ~ 0.066	0.002 5 ~ 0.009 4
		千阳河西黄土台塬	120.4	50~80	0.10	0.05					
		千阳河漫滩一、二级阶地	56.8	<5	0.35	0.11					
	千阳河—漆水河	沣水河、漆水河、川口河漫滩	96.4	5~10	0.30	0.15					
		一、二、三级洪积扇	644.7	10~30	0.15	0.08					
		黄土台塬	1 166.7	50~80	0.10	0.05					
	漆水河—泾河	老洪积扇	202.2	10~30	0.08	0.08					
		乾县礼泉黄土台塬	1 806.6	50~80	0.12	0.06					
2	宝鸡—咸阳低阶地	渭河低阶地	442.6	5~10	0.25	0.16	0.25	0.15	0.25		
		渭河漫滩	342.8	<5	0.35	0.19					
3	宝鸡—户县低阶地	渭河漫滩	441.8	<5	0.35	0.16	0.25	0.15	0.25	0.013 ~ 0.19	0.003 6 ~ 0.067
		宝鸡眉县黄土台塬	164.8	5~10	0.3	0.14					
		眉县一、二级洪积扇	231.0	10~30	0.2	0.12					
		周至户县渭河低阶地	822.0	5~10	0.3	0.15					
4	宝鸡—周至黄土台塬	宝鸡眉县黄土台塬	229.3	50~80	0.10	0.05	0.08	0.15	0.08	0.08 ~ 0.243	0.005 8 ~ 0.022 3
		眉县周至黄土台塬	245.9	50~80	0.09	0.05					
5	三原—合阳黄土台塬	冶峪河西至石川河西黄土台塬	513.2	50~80	0.08	0.05	0.05	0.15	0.05	0.01 ~ 0.02	0.016 3
		冶峪河、清峪河低阶地	81.6	5~10	0.25	0.13					
		石川河东至洛河西黄土台塬	1 349.2	>80	0.05	0.05					
		洛河、大峪河漫滩	437.8	<5	0.35	0.15					
		洛河东黄土台塬	1 125.2	>80	0.05	0.04					
		支流、居河低阶地	135.6	5~10	0.25	0.12					

分区	地段	亚 段	面积（km²）	埋深（m）	$\alpha_{降}$	μ	灌溉渗漏系数	库、塘渗漏系数	井灌回渗系数	河流渗漏系数	河流排泄系数
6	泾阳—大荔低阶地	泾河渭河低阶地	1 694.8	< 5	0.25	0.12	0.30	0.15	0.30		
		石川河洛河低阶地	1 253.0	< 5	0.25	0.12					
		洛河黄河低阶地	1 052.0	5 ~ 10	0.20	0.15					
7	西安—华阴低阶地	沣河—零河渭河漫滩低阶地	972.8	5 ~ 10	0.30	0.18	0.25	0.15	0.25	0.01 ~ 0.27	0.02 ~ 0.036
		渭南—华阴渭河漫滩	491.2	< 5	0.35	0.16					
		渭南—华阴渭河低阶地	237.6	10 ~ 30	0.20	0.15					
8	长安—潼关黄土台塬	留村郭社冲洪积平原	296.8	10 ~ 30	0.20	0.12	0.08	0.15	0.08	0.014 ~ 0.18	0.021 ~ 0.032
		少陵黄土台塬	219.2	30 ~ 50	0.10	0.06					
		产灞河漫滩	136.8	< 5	0.35	0.18					
		白鹿塬黄土台塬	342.8	50 ~ 80	0.08	0.05					
		同仁塬及黄土梁峁基岩山区	746.0	> 80	0.05	0.03					
		支流低阶地	345.4	5 ~ 10	0.25	0.15					
		丰塬	156.4	50 ~ 80	0.08	0.04					
		支流漫滩低阶地	106.4	5 ~ 10	0.30	0.16					
		潼关黄土台塬	259.6	50 ~ 80	0.08	0.04					

6.2.1.3　均衡结果及补给资源分析

对各亚区的均衡结果,用实际动态资料验证,直到均衡计算精度满足评价要求为止。均衡结果反映了均衡期内补给、排泄和贮存量三者之间的定量关系。计算结果如表 6-2-4 所示。

由表 6-2-4 可见,典型年 1998 年均衡结果表明:地下水补给量为 39.24×10^8 m³/a,排泄量为 33.39×10^8 m³/a,年内补排差为 5.85×10^8 m³/a,属于正均衡,地下水位处于上升状态。实际上,受自然因素影响,区内自 1986 ~ 1999 年,14 年间处于持续干旱期,在此期间关中降水量超过多年平均值的仅有 2 年,尤其是 1995 ~ 1997 年出现了为期 3 年的特大旱期,致使 1997 年平均降水量只有 375.4 mm,创近 20 年来降水量最低值,至 1998 年和 1999 年降水量达到 677.4 mm 和 625.9 mm,接近多年平均水平。受上述影响,区内自 1990 年至 1997 年地下水位呈波动持续下降状态,至 1998 年地下水位回升,处于正均衡状态。上述计算结果客观地反映了这一实际情况,表明均衡期计算中各参数选取基本正确,可作为地下水资源评价的依据。

地下水补给资源应为地下水补给量减去重复量。扣除表 6-2-5 中重复量,得到关中盆地典型年(1998 年)地下水补给资源量为 31.94×10^8 m³/a(见表 6-2-5)。从表 6-2-5 可见,区内以降水补给为主,降水补给量占补给资源的 65.6%,其次为河流渗漏补给,占补给资源的 20.0%,田间灌溉渗漏补给占补给资源的 6.6%,地下径流补给所占比例最小。由此可见,区内地下水主要靠垂向补给。

表6-2-4　1998年关中盆地地下水均衡汇总

（单位：10^8 m³/a）

计算亚区	地段	补给面积 (km²)	补给项								排泄项						补排差	1998年变幅储存量
			降水入渗补给量	渠系水、渠灌水渗漏补给量	库塘水井灌水渗漏量	灌溉回归量	侧向径流补给量	河流渗漏补给量	河流激发补给量	合计	农灌开采	工业城乡用水开采	潜水蒸发	河流排泄	侧向排泄	合计		
1	凤翔—礼泉黄土台塬	4 166.6	3.15	0.14	0.95	0.09	0.55	0.10		4.98	1.09	0.99	0.11	0.01	0.72	2.92	2.06	1.77
2	宝鸡—咸阳低阶地	785.4	1.45	0.51	0.06	0.39	0.53		1.09	4.03	1.73	0.81	0.14		0.21	2.89	1.14	1.30
3	宝鸡—户县低阶地	1 659.6	3.24	0.25	0.11	0.43	0.56	4.30	0.29	9.18	1.83	1.61	1.22	1.12	1.19	6.97	2.21	2.11
4	宝鸡—周至黄土台塬	475.2	0.37	0.03	0.02	0.03		0.86		1.31	0.42	0.32	0.06	0.06	0.26	1.12	0.19	0.13
5	三原—合阳黄土台塬	3 642.6	2.09	0.07	0.42	0.05	0.04	0.18		2.85	1.05	0.59	0.04	0.16	0.39	2.23	0.62	0.51
6	泾阳—大荔低阶地	3 999.8	5.14	0.77	0.19	0.78	0.33		0.06	7.27	2.60	2.05	1.64		1.14	7.43	−0.16	−0.12
7	西安—华阴低阶地	1 701.6	3.02	0.24	0.04	0.39	0.56	0.45	1.58	6.28	1.82	2.32	1.13	0.35	0.61	6.23	0.05	0.03
8	长安—潼关黄土台塬	2 609.4	2.50	0.11	0.11	0.14		0.48		3.34	1.82	1.34	0.14	0.08	0.22	3.60	−0.26	−0.29
	合　计	19 040.2	20.96	2.12	1.90	2.32	2.57	6.36	3.02	39.24	12.36	10.03	4.48	1.78	4.74	33.39	5.85	5.42

表 6-2-5 关中盆地 1998 年地下水补给资源计算成果

计算亚区		补给面积（km²）	关中盆地（10⁸ m³/a）						合计（10⁸ m³/a）
亚区名称	编号		降水入渗补给量	灌溉渗漏补给量	库塘水入渗补给量	河流渗漏补给量	侧向径流补给量	重复量	
凤翔—礼泉黄土台塬	1	4 166.6	3.15	0.14	0.95	0.1	0.55		4.89
宝鸡—咸阳低阶地	2	785.4	1.45	0.51	0.06		0.53	0.53	2.02
宝鸡—户县低阶地	3	1 659.6	3.24	0.25	0.11	4.3	0.56	0.56	7.90
宝鸡—周至黄土台塬	4	475.2	0.37	0.03	0.02	0.86			1.28
三原—合阳黄土台塬	5	3 642.6	2.09	0.07	0.42	0.18	0.04		2.8
泾阳—大荔低阶地	6	3 999.8	5.14	0.77	0.19		0.33	0.33	6.10
西安—华阴低阶地	7	1 701.6	3.02	0.24	0.04	0.45	0.56	0.56	3.75
长安—潼关黄土台塬	8	2 609.4	2.50	0.11	0.11	0.48			3.20
小　计		19 040.2	20.96	2.12	1.90	6.37	2.57	1.98	31.94

6.2.1.4　不同频率年地下水补给资源

为了反映不同频率年地下水补给资源变化规律,在上述均衡分析的基础上,对 50%、75%、95% 和多年平均补给资源进行了分析计算(如表 6-2-6 所示)。

表 6-2-6　不同频率年地下水补给资源计算一览　　　　(单位:10⁸ m³/a)

亚区名称	编号	多年平均	(典型均衡年保证率 46.2%)1998 年	50%	75%	95%
凤翔—礼泉黄土台塬	1	4.80	4.89	4.71	4.08	2.88
宝鸡—咸阳低阶地	2	1.94	2.02	1.91	1.65	1.16
宝鸡—户县低阶地	3	7.73	7.90	7.57	6.57	4.64
宝鸡—周至黄土台塬	4	1.23	1.28	1.20	1.04	0.74
三原—合阳黄土台塬	5	2.69	2.8	2.63	2.28	1.61
泾阳—大荔低阶地	6	6	6.10	5.88	5.1	3.6
西安—华阴低阶地	7	3.69	3.75	3.61	3.13	2.21
长安—潼关黄土台塬	8	3.12	3.20	3.06	2.65	1.87
合　计		31.20	31.94	30.57	26.50	18.71

由表 6-2-6 可见,关中盆地多年平均下地下水补给资源为 $31.20 \times 10^8 \ m^3/a$,多年平均与 50% 年份差别不大。

6.2.2 地下水可采资源计算

6.2.2.1 地下水可采资源计算的原则

地下水的可采资源是指一定技术经济条件下,采用合理开采方案,在整个开采期内不产生危害性环境地质问题为前提的开采资源。根据关中盆地地下水实际利用情况和存在的问题,可采资源确定的原则如下:

(1)根据典型年水均衡分析,除了泾阳大荔低阶地和长安潼关黄土台塬超采外,其余地段处于正均衡。对于地下水资源尚未被充分利用的地区,在与地表水资源统一规划、调配的前提下,为保证生态平衡和解决水源不足问题,应在地下水最大供水能力的限度内扩大开采;对于超采地段应减少地下水开采,使地下水动态处于稳定状态。

(2)对于大面积可采资源计算,考虑到供水的特点,宜采用年际间以丰补歉,利用调节贮存量进行多年调节,达到多年动态稳定原则,利用均衡法评价可采资源;对于傍河集中供水水源地,按激化开采方式确定可采资源。

6.2.2.2 地下水可采资源量计算

1)面状开采地段可采资源量计算

面状开采地段可采资源量计算是以地下水均衡计算的成果为基础,根据各计算亚区地下水位变化规律和动态特征,结合实际开采量等均衡要素的分析、计算,确定合理开采量即可采资源量。计算公式为:

$$Q_f = Q_{sk} + (\frac{\Delta H \times \mu \times \Phi}{\Delta \tau}) \times (1 \pm \beta\%)$$

式中 Q_f——可开采资源量,$10^4 \ m^3/a$;

Q_{sk}——实际开采量,$10^4 \ m^3/a$;

β——扩大或缩小系数,取值原则是本着兴利防害、充分利用地下水资源的原则,水位稳定地区取值为零,水位上升区取正值,下降区取负值;本次评价根据均衡分析结果以及动态变化规律,经反复调试确定取 5。

据此,计算的各亚区可采资源量如表 6-2-7 所示。

2)集中开采地可采资源量计算

集中供水水源地可采资源量由两部分组成,一是已建水源地现状开采量,二是预测渭河岸边取水的可采资源量。关于集中供水水源地可采资源评价,陕西省第一水文地质工程地质队于 1998 年 6 月曾做了专门研究,在此直接引用其评价成果资料。

综上所述,关中盆地地下水的可采资源量为 $33.04 \times 10^8 \ m^3/a$(见表 6-2-7)。

表 6-2-7　关中盆地可采资源量计算成果

计算单元		补给面积 （km²）	补给资源量 （10⁴ m³/a）	开采系数 （%）	可采资源量 （10⁴ m³/a）	傍河岸边取水（10⁸ m³/a）	
亚区 编号	亚区名称					预测潜水可采 （河流激发 补给量）	现状可采 （河流激发 补给量）
1	凤翔—礼泉黄土台塬	4 166.6	4.80	77.3	3.71		
2	宝鸡—咸阳低阶地	785.4	1.94	77.3	1.50	2.15	
3	宝鸡—户县低阶地	1 659.6	7.73	89.2	6.90	2.31	0.16
4	宝鸡—周至黄土台塬	475.2	1.23	67.5	0.83		
5	三原—合阳黄土台塬	3 642.6	2.69	88.8	2.39		
6	泾阳—大荔低阶地	3 999.8	6	86.5	5.19	0.11	
7	西安—华阴低阶地	1 701.6	3.69	92.1	3.4	0.85	1.16
8	长安—潼关黄土台塬	2 609.4	3.12	76.3	2.38		
小　计		19 040.2	31.20		26.30	5.42	1.32

6.3　基于数值模拟的地下水资源评价

上节利用均衡法对关中盆地 300 m 以浅地下水补给资源和开采资源进行了评价,为了全面了解地下水系统受各种激励因素影响后的水动力场和地下水量变化规律,为地下水资源合理开发和变异条件分析提供科学依据,现利用数值模型对关中盆地 300 m 以浅地下水系统资源量和水动力场进行模拟。

6.3.1　水文地质概念模型的建立

6.3.1.1　含水介质特征

关中盆地北缘为北山区,属于黄土高原的一部分,分布着碳酸盐岩溶裂隙水(裸露和隐伏);南缘和西侧为秦岭山地区;东部以黄河为界。盆地内含水介质为第四系松散岩类孔隙水和黄土孔隙—裂隙水含水岩组,前者主要赋存于秦岭山前和北山山前洪积扇以及渭河及其支流冲积平原之中;后者主要分布于渭河两侧阶地和黄土台塬区。

分布于渭河两侧的黄土台塬及高阶地的黄土层,具有非均质各向异性的特点,一般垂直渗透系数为水平渗透系数的 2～5 倍。在扶风、礼泉、蒲城、长安等黄土台塬区,塬的面积大,塬面洼地多,地下水埋深浅(20～50 m),富水性好,单井出水量 300～600 m³/d,贾村塬、五丈塬、合阳塬等塬面窄小,接受降水补给有限,且以泉水形式排泄,不利于地下水赋存,水位埋深也较大(80～120 m),含水层为下更新统黄土,富水性差,单井出水量小于 100 m³/d。台塬区黄土层潜水水质普遍较好。

分布于秦岭与北山山前洪积平原的含水层主要为中更新统—全新统含泥砂砾卵石。洪积扇的中前缘富水性优于后缘,扇轴部及古洪流沟道优于扇间,新洪积扇优于被黄土覆盖的老洪积扇。秦岭与北山山前洪积扇相比,由于秦岭北麓山势险峻,水流急湍,降水也较北山丰富,因而形成两侧山前沉积物及富水性的明显差异。前缘下部与河湖相地层交互沉积,界限不易划分。秦岭山前洪积扇的轴部含水层厚度为 35 ~ 50 m,水位埋深 1 ~ 60 m,单井出水量 900 ~ 2 000 m³/d。扇间地段水位埋深大于 20 m,单井出水量 300 ~ 400 m³/d。北山山前洪积扇的沉积物较秦岭山前粒度细、含泥量大,黏性土夹层厚,补给源少,富水性相对较差。凤翔、扶风、富平洪积扇前缘,含水层厚度 10 ~ 40 m,水位埋深 5 ~ 40 m,单井出水量 300 ~ 1 300 m³/d;扇间地段,单井出水量 10 ~ 100 m³/d。

分布于渭河及其支流阶地区的含水层为全新统至中更新统砂、(砂)砾卵石层,厚度 5 ~ 80 m,漫滩至二级阶地水位埋深 3 ~ 20 m,高阶地 30 ~ 80 m。低阶地富水性强,单井出水量 60 ~ 2 400 m³/d;高阶地富水性较弱,单井出水量 60 ~ 600 m³/d。在泾河以东渭河以北地段,径流滞缓,排泄方式以蒸发为主,矿化度均大于 3 g/L,局部大于 10 g/L。

6.3.1.2 含水层埋藏条件

在黄土台塬、河流冲积平原潜水含水层下部,广泛分布着承压水,含水层由中、下更新统冲积、洪积、湖积砂、(砾)卵石组成。在 300 m 深度内,承压含水层厚 20 ~ 170 m,含水层顶板埋深因地而异,水位埋深各地不同,冲积平原承压水位一般在地面下 5 ~ 20 m,秦岭山前洪积扇前缘承压水水头高出地面 2 ~ 20 m;黄土台塬区承压含水层大致埋深 80 ~ 250 m,承压水位埋深 50 ~ 110 m;洪积平原承压含水层大致埋深 50 ~ 110 m,承压水位埋深 10 ~ 80 m。总体来讲,在 300 m 深度内可将区内地下水概化为潜水、浅层承压水和中层承压水三个含水层组。潜水埋深一般几米至三四十米,底板埋深 70 ~ 90 m;浅层承压水埋深 100 ~ 180 m,中层承压水埋深在 180 ~ 300 m 之间(300 ~ 600 m 为深层承压水;600 m 以下为热水)。模拟时各区含水层顶、底板由钻孔资料和水文地质剖面图确定,水文地质剖面图如图 6-3-1 所示。

6.3.1.3 边界条件

盆地北部边界由于得到来自北部岩溶裂隙水补给,可概化为第二类边界条件,各段单位长度补给量根据均衡分析结果给出;东部边界为黄河,由于黄河在此段为常年有水(且较宽),据多年动态观测资料分析,水位变化不大,按定水头边界处理;南部和西部边界系秦岭山区,由古老结晶岩系、花岗岩构成,与盆地地下水联系微弱,可作为隔水边界处理。整个模拟区面积为 1.9×10^4 km²。

6.3.1.4 水流特征

考虑到区内地下水流受人类活动影响已发生不同程度变化,因此地下水概化为非稳定三维流,含水介质除了黄土含水介质概化为非均质各向异性外,其余含水介质概化为非均质各向同性。

6.3.1.5 源汇特征

潜水主要依靠大气降水、灌溉回归水、侧向径流,以蒸发、人工开采和侧向流出为排泄途径。承压水主要以局部地段开采为主和侧向流入为补给途径,含水层之间通过越流发生水力联系。考虑到模拟区域较大,对侧向径流以及河流补排量按线状源汇处理,集中开采水源地根据井群分布区面积和开采量以面状强度处理,其余各源汇项均按面状源汇处理。水文地质概念模型见图 6-3-2 所示。

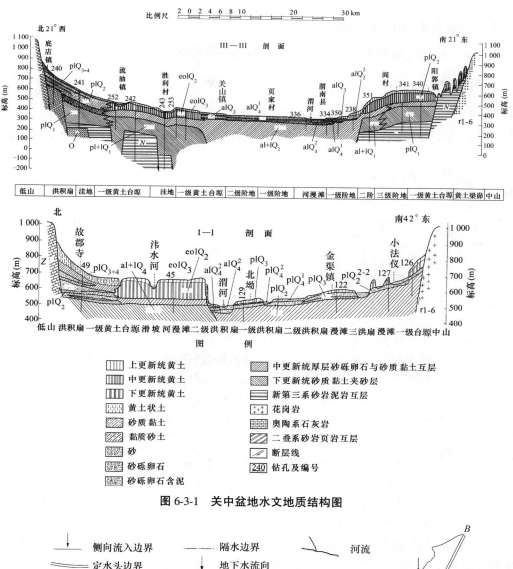

图 6-3-1　关中盆地水文地质结构图

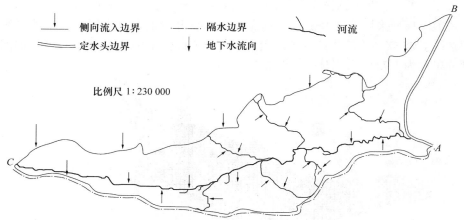

图 6-3-2　关中盆地水文地质概念模型示意图

6.3.2　地下水流数学模型及求解

依据上述水文地质概念模型,建立研究区地下水流数学模型为:

$$\begin{cases} \dfrac{\partial}{\partial x}\left(K_{xx}\dfrac{\partial H}{\partial x}\right) + \dfrac{\partial}{\partial y}\left(K_{yy}\dfrac{\partial H}{\partial y}\right) + \dfrac{\partial}{\partial z}\left(K_{zz}\dfrac{\partial H}{\partial z}\right) - \sum\limits_{i=1}^{m}Q_i\mathrm{d}_i = S_s\dfrac{\partial H}{\partial t} & (x,y,z)\in D, t>0 \\[2mm] H(x,y,z,0) = H_0(x,y,z) & (x,y,z)\in D \\[2mm] K\dfrac{\partial H}{\partial n}\bigg|_{\Gamma_j} = q_j(x,y,z,t) & (x,y,z)\in \Gamma_j, t>0, j=2\cdots4 \\[2mm] H(x,y,z)\big|_{\Gamma_1} = H(x,y,z) & (x,y,z)\in \Gamma_1 \\[2mm] \begin{cases} H = z \\ \mu\dfrac{\partial H}{\partial t} = -(K+W)\dfrac{\partial H}{\partial z} + W \end{cases} & \text{潜水面} \quad t>0 \end{cases}$$

式中　D——渗流区域;

H——含水层水位标高,m;

K_{xx}、K_{yy}、K_{zz}——含水层的渗透系数,m/d;

S_s——含水层储水率,1/d;

μ——潜水面波动带的重力给水度;

W——潜水面的降水补给量、河流渗漏补给量,田间水补给量、蒸发排泄量等强度的综合(补给为正,排泄为负),$\text{m}^2/(\text{d}\cdot\text{m}^2)$;

$H_0(x,y,z)$——含水层的初始水位分布,m;

Γ_1——第一类边界;

Γ_j——第二类边界,$j=2,3,4$;

$q_j(x,y,z,t)$——二类边界的单宽流量,$\text{m}^2/(\text{d}\cdot\text{m})$,$j=2,3,4$;

n——边界的法线方向;

Q_i——第 i 口井的抽水量,m^3/d;

d_i——第 i 口井的狄拉克函数;$d_i = d(x-x_i,y-y_i)$,(x_i,y_i) 为第 i 口井的坐标。

上述数学模型采用美国 Brigham Young University 开发的基于有限差分法的三维地下水模拟系统 GMS 软件求解。计算域面积为 $1.9\times10^4\ \text{km}^2$,采用 GMS 进行自动矩形网格剖分。剖分单元为 1 734 个,剖分图如图 6-3-3 所示。

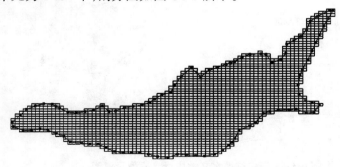

图 6-3-3　模拟区网格剖分平面图

6.3.3 数学模型的识别与验证

以1998年1月地下水等水位线为初始流场(如图6-3-4所示),选用1998年1～4月区内地下水动态观测资料和各种源汇资料为依据进行模型的识别,这一时期代表各种源汇干扰程度和变化幅度以及水位变化相对小的情况;在参数识别基础上,利用识别的参数选用1998年6～9月份各种激励因素比较强烈的时段作为对模型的验证。其选用长观测孔38个,长观测孔分布如图6-3-5所示。

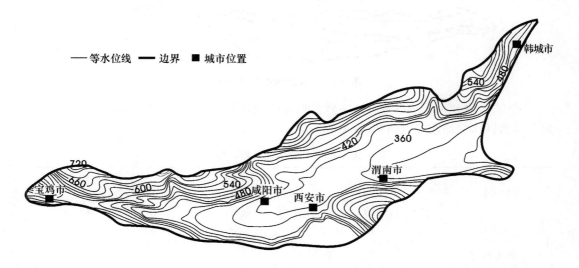

图6-3-4 模拟区1998年1月初始流场图

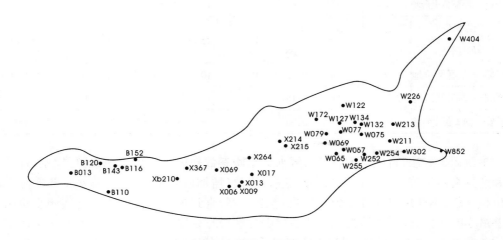

图6-3-5 参数识别长观测孔分布图

水文地质参数分区及初值的确定是以区内地质地貌为基础,以含水岩组特征及富水性,补、径、排条件以及有关勘探和研究报告为依据,进行水文地质参数分区。据此初步划分出8个水文地质参数区,如图6-3-6所示。

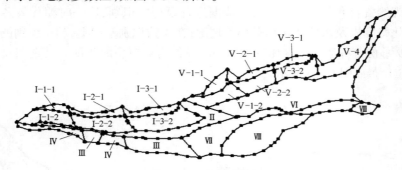

图 6-3-6　水文地质参数分区

其中,潜水和承压水参数分区一致。根据区内有关水文地质勘探、试验成果为依据给定各参数区水文地质参数的初值(见表6-3-1)。

表 6-3-1　水文地质参数初值

参数分区		潜水			浅层承压水			中层承压水		
		渗透系数(m/d)		给水度	渗透系数(m/d)		贮水系数	渗透系数(m/d)		贮水系数
		水平	垂直		水平	垂直		水平	垂直	
I	洪积扇	20	20	0.17	15	15	0.000 2	10	10	0.000 02
	黄土台塬	3.5	9	0.06						
II	宝鸡—咸阳低阶地	30	30	0.20	10	10	0.000 1	6	6	0.000 01
III	宝鸡—户县低阶地	31	31	0.21	12	12	0.000 1	7	7	0.000 01
IV	宝鸡—周至黄土台塬	4.5	10	0.07	13	13	0.000 15	8	8	0.000 015
V	洪积扇	20	20	0.18	15	15		10	10	0.000 02
	冲积平原	22	22	0.06						
VI	泾阳—大荔低阶地	20	20	0.18	10	10	0.000 1	5	5	0.000 01
VII	西安—华阴低阶地	20	20	0.18	11	11	0.000 1	6	6	0.000 01
VIII	长安—潼关黄土台塬	4.5	9	0.06	13	13	0.000 15	8	8	0.000 015

参数识别方法,将确定的各参数区水文地质参数初值代入模型中,运行模型,计算水位和边界交换量等,必要时对参数分区进行修改(增加或减少)。将计算水位与实际观测水位相比较,不断地修改各参数区参数,重复计算,直到模型计算的水位与实测水位两者误差最小时为止,此时可认为该参数值代表含水层的参数。据此确定的 19 个参数区水文地质参数见表6-3-2,模型识别和验证期间长观孔水位观测值和计算值之间拟合如图6-3-7和图6-3-8所示,实测流场与计算流场拟合如图6-3-9所示。实际观测值和计算值之间误差分布见图6-3-10、表6-3-3。

表 6-3-2　各参数分区水文地质参数一览

参数分区	地名	地貌	编号	潜水 渗透系数(m/d) 水平	垂直	给水度	潜水与浅层承压水弱透水层 渗透系数(m/d) 水平	垂直	贮水系数	浅层承压水 渗透系数(m/d) 水平	垂直	贮水系数	浅层承压水与中层承压水之间弱透水层 渗透系数(m/d) 水平	垂直	贮水系数	中层承压水 渗透系数(m/d) 水平	垂直	贮水系数
I	凤翔	洪积扇	I-1-1	25	25	0.19	10^{-6}	10^{-6}	10^{-7}	15	15	0.000 2	10^{-6}	10^{-6}	10^{-7}	10	10	0.000 02
	岐山	黄土台塬	I-1-2	3	8	0.06												
	扶风	洪积扇	I-1-2	23	23	0.19												
		黄土台塬	I-2-2	3.5	9	0.06												
	乾县	洪积扇	I-3-1	21	21	0.17												
	礼泉	黄土台塬	I-3-2	3.5	8.5	0.05												
II	宝鸡—咸阳低阶地		II	30	30	0.20	10^{-6}	10^{-6}	10^{-7}	10	10	0.000 1	10^{-6}	10^{-6}	10^{-7}	6	6	0.000 01
III	宝鸡—户县低阶地		III	31	31	0.22	10^{-6}	10^{-6}	10^{-7}	12	12	0.000 1	10^{-6}	10^{-6}	10^{-7}	7	7	0.000 01
IV	宝鸡—周至黄土台塬		IV	4.5	10	0.07	10^{-6}	10^{-6}	10^{-7}	13	13	0.000 15	10^{-6}	10^{-6}	10^{-7}	8	8	0.000 015
V	三原	冲积平原	V-1-1	23	23	0.2	10^{-6}	10^{-6}	10^{-7}	15	15		10^{-6}	10^{-6}	10^{-7}	10	10	0.000 02
	三原	洪积扇	V-1-2	20	20	0.18												
	富平	黄土台塬	V-2-1	21	21	0.16												
	富平	洪积扇	V-2-2	3	8	0.06												
	蒲城	黄土台塬	V-3-1	21	21	0.15												
	蒲城	洪积扇	V-3-1	3.2	8	0.05												
	合阳黄土台塬		V-4	3	8.6	0.06												
VI	泾阳—大荔低阶地		VI	20	20	0.18	10^{-6}	10^{-6}	10^{-7}	10	10	0.000 1	10^{-6}	10^{-6}	10^{-7}	5	5	0.000 01
VII	西安—华阴低阶地		VII	20	20	0.17	10^{-6}	10^{-6}	10^{-7}	11	11	0.000 1	10^{-6}	10^{-6}	10^{-7}	6	6	0.000 01
VIII	长安—潼关黄土台塬		VIII	4.5	9	0.06	10^{-6}	10^{-6}	10^{-7}	13	13	0.000 15	10^{-6}	10^{-6}	10^{-7}	8	8	0.000 015

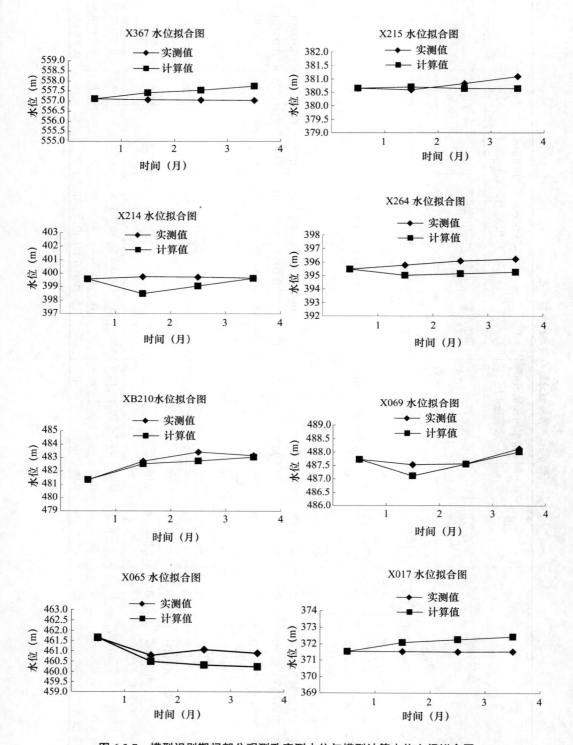

图 6-3-7　模型识别期间部分观测孔实测水位与模型计算水位之间拟合图

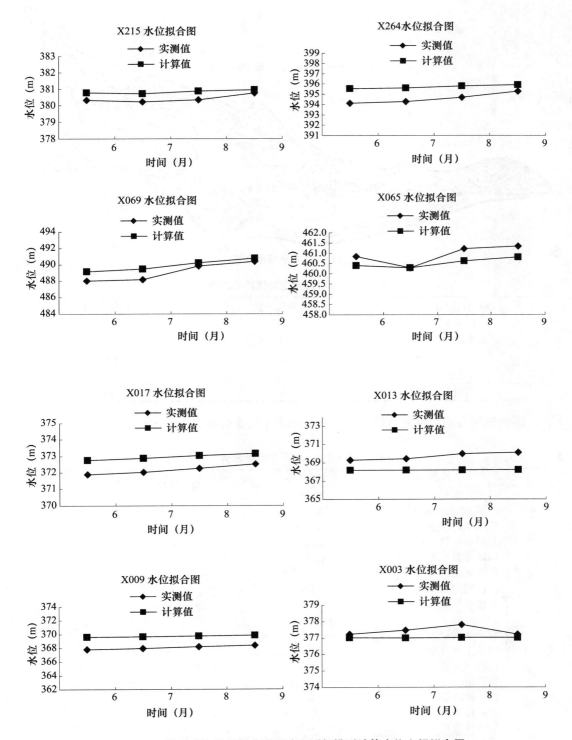

图 6-3-8　模型验证期间部分观测孔实测与模型计算水位之间拟合图

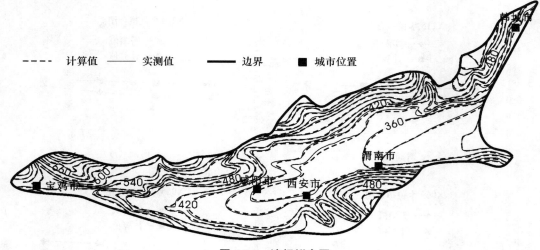

---- 计算值 ——— 实测值 ■■■■ 边界 ■ 城市位置

图 6-3-9　流场拟合图

表 6-3-3　拟合误差绝对值的平均值分布

绝对误差（m）	观测孔个数	比例（%）
0~0.5	24	63.2
0.5~1.0	10	26.3
1.0~2.0	4	10.5
>2.0	0	0
合计	38	100

模型识别与验证期间数值模型计算的地下水均衡分析见表 6-3-4。

表 6-3-4　地下水均衡分析　　　　　　　　　　　（单位：10^8 m³/a）

	均衡项	潜水含水层	浅层承压水含水层	中层承压水含水层
补给项	降水入渗量	20.33		
	渠系、渠灌渗漏量	2.13		
	库塘水渗漏量	1.9		
	井灌回归量	2.32		
	河流渗漏量	6.39		
	山前侧向补给量	0.444 3	0.177	0.118
	渭河侧向激发量	3.06		
	越流补给量	0.095	0	0.109
	合计	36.669 3	0.177	0.227
排泄项	农灌开采量	11.878		
	城乡工业开采量	3.264		
	傍河开采量	1.726	0.695	4.15
	蒸发量	4.573		
	河流排泄量	1.822		
	越流排泄量	0	0.206	0
	侧向排泄量	3.375		
	合计	26.638	0.911	4.15

由图 6-3-7 ~ 图 6-3-9 和表 6-3-2 ~ 表 6-3-4 可以看出：

(1)无论是降速场还是梯度场的拟合,其形态的宏观效果较好,反映了地下水系统的结构、传输与调蓄功能;

(2)模型识别与验证期间拟合曲线的绝对误差小于 0.5 m 占 63.2%,0.5 ~ 1.0 m 占 26.3%,1.0 ~ 2.0 m 占 10.5%,拟合程度相对较好;

(3)模型确定的水文地质参数再现了水文地质规律,参数分区和参数值与地下水分布规律基本一致;

(4)由模型计算的各均衡要素的分布规律和数值大小与上节均衡法计算的典型年水均衡结果相差不大。

综上所述,建立的模拟模型基本反映了研究区地下水系统运动规律,可以用来对可采资源进行评价、对水动力场及其演化规律进行模拟预测。

6.3.4 基于数值模型的地下水资源评价

关中盆地除了城镇供水为集中开采外,农田供水及农村生活用水基本上为分散间歇开采,为了评价本区可开采资源量,首先要根据区内地下水资源状况及经济技术条件等确定开采条件,包括开采地段、开采方式和开采量等。在评价可采资源量时应考虑以下因素。

(1)农田灌溉及农村生活用水,依据区内水利、地矿等部门规划的宜井区和地下水资源评价成果,结合多年开采实践,确定合理开采系数,得到不同地段可采模数见表 6-3-5。

表 6-3-5 关中盆地分散开采模数一览表

分区	可采模数(10^4 m^3/(km^2·a))	分区	可采模数(10^4 m^3/(km^2·a))
凤翔—礼泉黄土台塬	12.386	三原—合阳黄土台塬	9.39
宝鸡—咸阳低阶地	11.388	泾阳—大荔低阶地	10.97
宝鸡—户县低阶地	55.9	西安—华阴低阶地	14.99
宝鸡—周至黄土台塬	7.592	长安—潼关黄土台塬	2.90

(2)城镇已建和规划建设的集中供水水源地开采按勘探时评价允许开采量和拟开采量加入模型。

(3)预报时依据降水系列资料按多年平均到月参与运算,其余源汇按区内实际多年平均值给出。

据此,以月为计算段,以 1998 年 1 月流场为初始流场,预报 5 年,调整各开采区开采量,直至观测孔历时曲线达到稳定且水位埋深达到要求为止,此时各区开采量可视为各区可采资源量。据此,评价的各区可采资源量如表 6-3-6 所示,其流场及观测孔历时曲线如图 6-3-10 和图 6-3-11 所示。

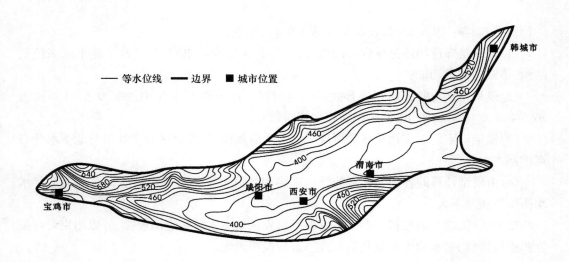

图 6-3-10　模型运行 5 年后的流场预测图

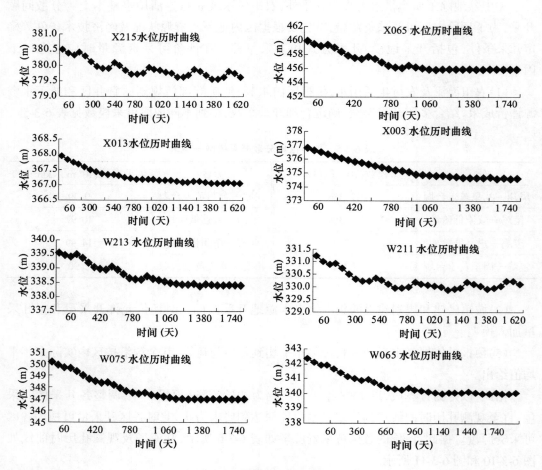

图 6-3-11　部分观测孔历时曲线图

表 6-3-6　各区可采资源量一览

亚区	可采资源量(10^8 m³/ a)	亚区	可采资源量(10^8 m³/ a)
凤翔—礼泉黄土台塬	4.40	三原—合阳黄土台塬	3.90
宝鸡—咸阳低阶地	1.70 + 2.15	泾阳—大荔低阶地	4.50 + 0.11
宝鸡—户县低阶地	6.80 + 2.47	西安—华阴低阶地	3.30 + 2.01
宝鸡—周至黄土台塬	0.40	长安—潼关黄土台塬	0.90
合计			25.90 + 6.74

注:"+"后面代表傍河水源地允许开采量。

由图 6-3-11 和表 6-3-6 可见,从多年平均意义上来看,在区内开采 32.64×10^8 m³/a 的情况下,模型运转 5 年后,观测孔水位降已趋稳定;另外,由观测孔降速场曲线来看也反映了以丰补歉的开采方式。因此,在区内开采 32.64×10^8 m³/a(含 6.74×10^8 m³/a 岸边集中供水水源地开采量)是有保证的,可作为区内可开采资源量。该量与均衡法评价的可采资源量基本一致,仅相差 0.4×10^8 m³/a。因此,推荐 32.64×10^8 m³/a 作为区内可采资源量。

6.4　评价可靠性分析

自 20 世纪 80 年代以来,区内不同部门为不同目的先后进行了多次地下水资源评价工作。具有代表性的成果主要有陕西省地矿局第一水文地质工程地质大队 1983 年提交的《陕西省地下水资源评价》(以下简称"83 报告"),陕西省地下水工作队、陕西省水文总站 1986 年提交的《陕西省地下水资源评价》(以下简称"86 陕报告"),陕西省国土资源厅委托陕西工程勘察研究院 2002 年提交的《陕西省地下水资源评价》(以下简称"2002 报告"),本次计算的"关中盆地地下水资源量"简称"本次评价结果",详见表 6-4-1。

表 6-4-1　不同研究成果地下水补给资源量对比情况表　　　(单位:10^8 m³/a)

报告	"83 报告"	"86 陕报告"	"2002 报告"	"本次评价结果"
补给资源量	32.43	29.63	35.39	31.20
可采资源量	27.92	—	34.81	32.64

"83 报告"、"2002 报告"以及本次资源量计算地下水计算分区和区域地下水资源计算方法基本一致,评价工作具有延续性及可比性,因此将上述三个报告作为代表性报告,进行评价可靠性分析。

现从以下几个方面来评述:

(1)水文系列有所不同。"83 报告"和"86 陕报告"评价采用 1956～1979 年 24 年水文系列资料,"2002 报告"采用 1956～2000 年 45 年同步系列水文资料,"本次评价结果"水文系列在"2002 报告"的基础上延长 3 年,经分析,无论降水、径流,48 年长系列代表性都比以往成果采用的水文系列要长,既控制了 80 年代初的连续丰水期,又控制了 90 年代出现的连续枯水段。

（2）本次评价选用雨量和径流站点具有代表性，区域控制好，资料翔实，成果更具可靠性。

（3）评价方法有所改进。本次评价不仅采用传统的均衡法进行了评价，而且用数值模拟方法对关中盆地下水资源进行了计算，计算精度进一步提高。

（4）资料更全，本次计算从国土部门、水利部门、气象部门等收集了大量翔实的资料，并有丰富的地下水动态资料做检验。

（5）参数的选择，主要参考地矿部门和水利部门有关成果中具有代表性的水文参数和水文地质参数以及有关试验资料，结合多年降水序列资料和地下水动态资料，综合分析后确定本次计算使用参数。

综上所述，本次对区内地下水资源评价结果是可靠的，可以用来指导区内水资源合理开发和优化配置。

6.5　地下水资源解析

关中盆地地下水资源主要由大气降水入渗、河流渗漏、灌溉水入渗、库塘水渗漏和侧向径流补给。以下以 1998 年地下水资源评价结果为例，对不同地段地下水资源构成做一分析，为水资源合理开发利用提供科学依据。表 6-5-1 为关中盆地及其不同地段地下水资源构成比例。

表 6-5-1　关中盆地地下水资源构成比例　　　　　　　　　　（％）

分区	补　给　项				
	降水入渗	河流渗漏	灌溉水入渗	库塘水渗漏	侧向径流
关中盆地	65.6	19.94	6.6	5.95	1.85
渭河以南	56.7	37.8	3.9	1.74	0
渭河以北	74.8	1.77	9.5	10.24	3.73

由表 6-5-1 可得出以下认识：

（1）关中盆地主要由降水补给，其次是河水渗漏和灌溉水渗漏补给，三项之和占总补给资源的 92.14％。由此可见，气象和水文因素变化对地下水资源影响较大，加强"三水"综合调控与开发，是实现水资源可持续利用的关键。

（2）渭河以南河水渗漏补给占 37.8％，对地下水补给具有重要作用，若对河流采取截流、河道人工硬质化等措施，必将改变区内水资源格局，进而产生生态环境负效应。因此，实施地表水与地下水联合开发，发挥山前地下水库功能、以丰补欠，是合理开发和充分利用本区水资源的重要途径。

（3）渭河以北虽降水入渗占据主导地位，但由于渭北地区广泛分布着黄土含水层，其垂向渗透系数远大于水平渗透系数，在采补失调的情况下，容易诱发生态环境负效应。因此,宜采用地下水与地表水统一规划和调余补缺的供水原则。根据地区条件的差异,分别采取以井灌为主、渠灌为辅,渠灌为主、井灌为辅,井渠双灌三种开发利用模式。同时,根据水文地质条件和开采技术、经济条件的差异,合理布置深井、浅井和混合开采井。

(4)采取一些必要的工程措施,增加降雨入渗强度、拦截洪水促使渗入地下、收集城市道路和公路雨水并经必要处理后进行人工回灌等,是增加区内地下水资源,提高水资源利用率的经济可行的技术措施。

(5)地下水补给以垂向补给为主,侧向径流很小,加强"三水"转化机理研究以及建立大气降水—地表水—包气带水分—地下水联合模型的研究,是提高地下水资源评价可靠性值得重视的方面。

第7章 水文地质空间信息系统

水文地质空间信息系统(Hydrogeological Spatial Information System,简称 HSIS)的建设,是地下水可再生能力研究的一项基础性工作和实现水资源可持续利用的重要组成部分。它是以 GIS 技术为支持,以研究水文地质为目的的专题型地理信息系统。它不仅具有一般 GIS 的基本功能,而且具有解决水文地质领域特定专业问题之能力,是 GIS 技术与水文地质专题分析模型的有机结合。因此,水文地质空间信息系统(HSIS)是以水文地质空间数据库为基础、以水文地质专题应用分析模型为支撑,具有对水文地质空间信息进行采集、存储、管理、更新、合成、查询、分析与评价、可视化表达等功能的空间信息系统。

7.1 系统的总体结构

根据关中盆地地下水评价管理的需要,水文地质空间信息系统设计的目标是具有对水文地质空间数据的管理、查询、分析和可视化表达等功能。因此,水文地质空间信息系统由空间数据管理、应用模型管理、空间分析、数据转换、空间数据查询与检索、系统管理等模块组成。该系统充分运用空间数据管理、空间数据分析、多功能图形输出之功能,不仅能够对有关的勘察、观测资料进行有效的统一管理,随时为用户提供空间查询信息服务及多元信息的空间综合分析服务,而且能够充分挖掘与地下水的分布、发育规律有关的信息,对地下水资源量、开发潜力、开采模式以及与地下水开发有关的地质生态环境等问题进行综合评价,并根据用户需要,随时加工和输出不同功能的信息数据和图件,从而为统一规划、开采、管理地下水提供科学依据。系统总体结构如图 7-1-1 所示。

7.2 系统的基本功能

水文地质空间信息系统采用 ARC/INFO 8.1 作为工具平台,引入地理信息系统的空间信息管理和处理技术,实现了在同一平台上对水文地质空间信息的管理、水文地质实体的分析、评价和模拟。系统由空间数据管理子模块、应用模型管理子模块、空间分析子模块、数据转换子模块、空间数据查询与检索子模块、系统管理子模块等主要模块组成。通过对系统空间数据库的建立与访问,可以查询检索区内有关的地下水方面的信息,有利于信息资源共享;通过建立科学实用的分析与评价模型,达到对水文地质实体的认识,为分析地下水资源的分布规律与开发潜力,以及调查、评价与地下水资源开发利用有关的地质生态环境问题提供技术支持,具有重要的实际意义。系统各模块的组织和系统主界面如图 7-2-1 所示。

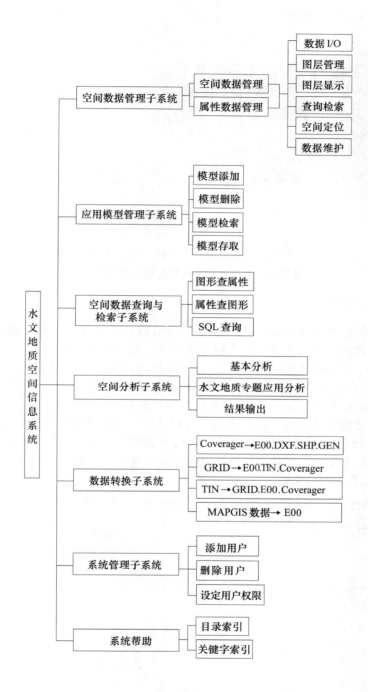

图 7-1-1　水文地质空间信息系统总体结构

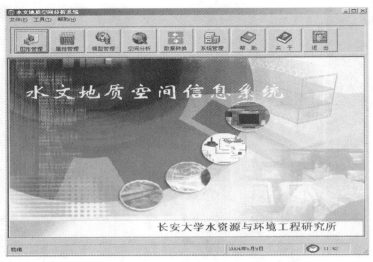

图 7-2-1　水文地质空间信息系统主界面

7.2.1　空间数据的管理

数据库是数据存储与管理的最高层次,是一种先进的软件工程。水文地质空间信息系统数据库是区域内一定水文地质及其相关特征以一定的组织方式存储在一起的相关空间数据的集合。空间数据既包括图形数据、属性数据,也包括以外挂数据库形式组织的水文地质动态数据,空间数据的管理由空间数据管理子系统来完成,其主界面如图 7-2-2 所示。由于空间数据库具有数据量大、图形数据与属性数据具有不可分割的联系以及空间数据之间具有显著的拓扑结构等特点,因此空间数据库管理功能除了与属性数据有关的DBMS 功能之外,还包括对空间数据库的定义,空间数据的导入、存储、管理、查询、检索、统计、显示和更新,并实现图形数据与外挂属性数据的链接。它既为信息的查询、分析、输出提供信息源,又是空间分析结果数据的归宿。

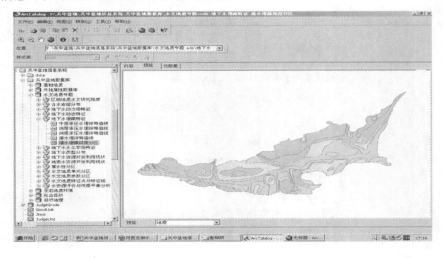

图 7-2-2　数据库管理子模块主界面

7.2.2　空间数据的查询与检索

空间数据的查询与检索是 GIS 最基本的功能之一。水文地质空间信息系统的空间数据查询与检索子系统,除了 GIS 为用户提供的常见的由图形查属性或由属性查图形及 SQL 查询等空间查询方式之外,系统实现图形数据与外挂属性数据的链接,对外挂动态信息能够进行查询。系统所具有的多层次、多形式空间查询功能,满足不同用户对空间信息的查询需要。查询检索模块的主界面如图 7-2-3 所示。

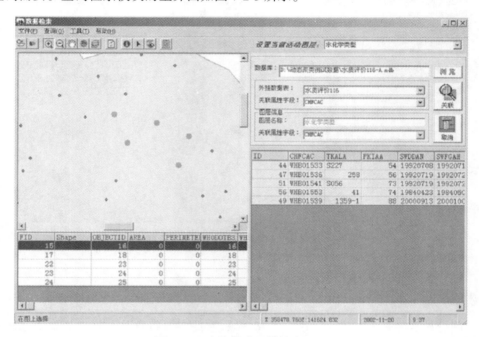

图 7-2-3　查询检索子模块主界面

7.2.3　应用模型的管理

由于地下水系统的特殊性,商业性的 GIS 软件基本的查询与空间分析功能,远远不能满足水文地质专业分析与应用的需要。因此,开发地下水系统分析的应用模型,已成为 GIS 技术在地下水资源管理与评价中进一步发展的重要动力和标志。水文地质空间信息系统模型库中专题分析模型由空间统计分析模型、地下水量计算与评价模型、地下水流数值模拟模型、水质与地质生态环境综合评价与分析模型等四大类模型的 21 个模型元组成。模型库管理系统具有对各种分析模型的类型定义、加载和卸载等功能,主要是对用户二次开发的类库进行管理,它可以让用户将自己开发的模型添加到本系统中,也可以从本系统中将某一模型卸载。模型管理是面向用户的开放型环境,根据需要在原有基础上,用户可以进一步扩展,向系统添加应用分析模型。模型算法用 VB、VC＋＋、Delphi 等编程语言实现,以动态链接库(DLL)的形式,添加到模型库中。模型管理子模块界面如图 7-2-4 所示。

模型管理子模块对不同用途的模型实行分类管理,模型经注册、类型定义后,在相关功能模块,用户利用系统提供的定制功能可直接调用。

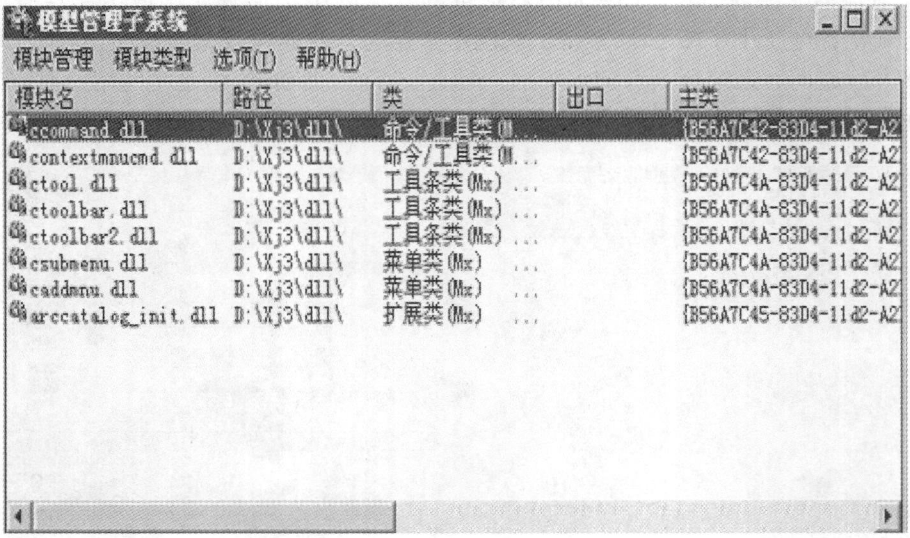

图 7-2-4　模型管理子模块界面

7.2.4　空间分析

空间分析功能是 GIS 的一个独立研究领域,它的主要特点是利用地理要素之间的空间关系,挖掘更深层次的新的信息。它已经不仅仅是 GIS 区别于其他系统的一个重要标志,而且成为用户灵活地解决各类专业问题的有效工具。

水文地质空间信息系统的空间分析子系统是 GIS 基本空间分析方法和水文地质专题分析方法的集成,可对研究区不同的水文地质单元(或其他分区,如行政区划)上的各种空间信息进行空间叠加分析、缓冲区分析、3D 分析等 GIS 基本空间分析,以及在水文地质空间分析模型的支持下,对水文地质实体进行统计分析、地下水量计算和资源评价与潜力分析、数值模拟分析、水质与地质生态环境评价综合分析等水文地质专题分析,实现基于 GIS 环境下的地下水分析、预测、模拟与评价的一体化,为地下水系统实时动态分析提供重要途径,水文地质空间分析模型体系如图 7-2-5 所示。其中,水文地质专题分析是系统开发的核心内容,利用系统提供的客户定制功能,将已注册的应用分析模型,定制到空间分析菜单中,通过调用相应模型而完成空间分析的功能。系统空间分析功能的实现,是基于 ARC/INFO 的 ArcMap 环境(如图 7-2-6 所示),用户选择相应的空间分析类型,按系统提供的操作向导,完成相应的分析功能。

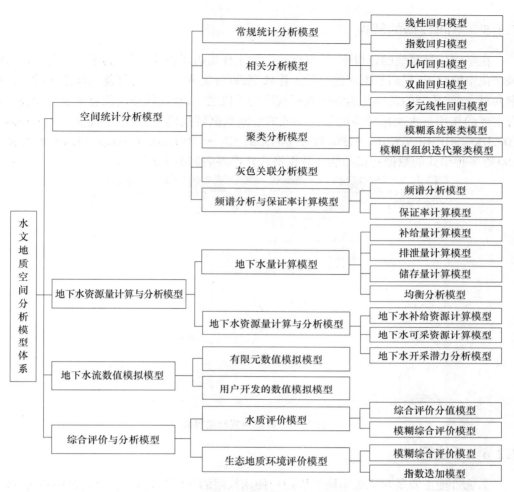

图 7-2-5　水文地质空间分析模型体系

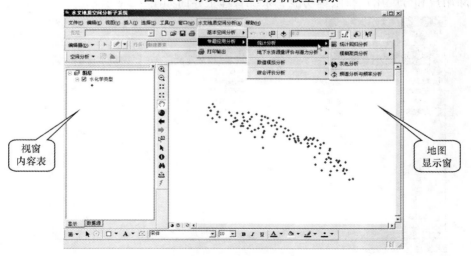

图 7-2-6　空间分析界面

7.2.5 空间数据的转换

在空间信息系统的建设中,数据库建设的工作量占了很大比重,为了充分利用已有的数字化空间数据,提高数据库建设的工作效率,以及实现本系统与其他系统之间的空间数据共享,空间数据的转换作为空间数据获取的手段之一,在现代空间信息系统的建设中具有重要的作用。水文地质空间信息系统的空间数据转换模块,为用户提供了 Coverager→E00.DXF.SHP.GEN;GRID→E00.TIN.Coverager;TIN→GRID.E00.Coverager;MAPGIS 数据→E00 等多种格式的数据转换功能。数据格式转换界面如图 7-2-7 所示。

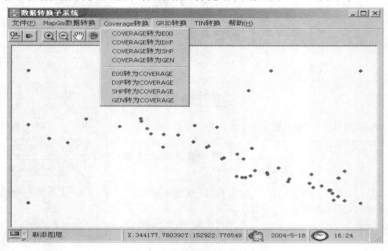

图 7-2-7 数据格式转换界面

7.2.6 系统管理

系统管理主要是对系统不同级别用户使用权限的分配与管理,具有新建用户、修改用户、删除用户和分配用户权限等功能。系统管理主界面如图 7-2-8 所示。

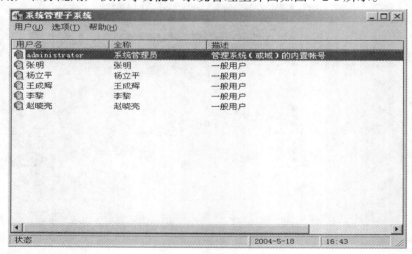

图 7-2-8 系统管理主界面

系统用户分为系统管理员和一般用户，系统管理员是系统最高级用户，负责系统的维护与管理工作，对系统所有模块都具有使用权。一般用户必须经系统管理员【新建用户】→设置用户名称、全称、描述、密码，并选择该用户可拥有的权限后（如图 7-2-9 所示），方可对拥有权限的模块进行使用，对那些没有使用权限的模块则不能调用。这是系统对不同级别用户实行分级管理的有效措施，也是维护系统安全的有力保障。

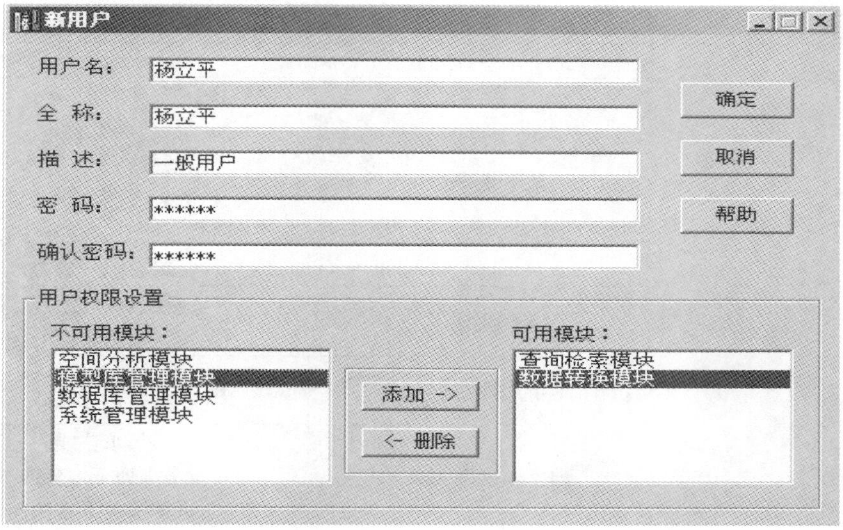

图 7-2-9　新用户注册及权限设置界面

7.3　系统的应用

7.3.1　地下水环境信息的管理

为了全面对关中盆地地下水资源有关的信息进行科学管理，为地下水环境演化和可再生性维持机理与途径研究提供信息管理与分析手段，应用笔者开发的水文地质空间信息系统建立了关中盆地地下水资源及与之相关的环境空间数据库，从而为地下水环境演化、评价、综合分析和信息的有效管理奠定了基础。

空间数据库建库范围，面积为 1.9×10^4 km^2，数据库的内容包括自然地理、基础地质、水文地质和地质生态环境四大类 31 个图层（见表 7-3-1）。建库的方法是借助于系统数据库管理子模块，以目录树的形式组织地理空间数据。

表 7-3-1　已建的关中盆地地下水环境数据库图层一览

图类	子类	图层名称
自然地理	水系	河流、渠道
	地形与地貌形态	地形形态
		地形等高线
		高程点
	重要科学测站	气象观测站
基础地质	构造	断层
	地貌	地貌分区
水文地质	地下水系统分区	水文地质单元
	地下水类型	潜水
		承压水
		松散岩类孔隙水
		松散岩类孔隙—裂隙水
		上覆黄土的基岩裂隙—岩溶水
		基岩裂隙—岩溶水
	富水性分区	潜水富水性分区
		承压水富水性分区
	地下水埋藏特征	潜水埋深等值线
		潜水埋深分区
	地下水水动力场	等水位线
		潜水地下水流向
		承压水地下水流向
	地下水水化学场	水质采样点
		潜水矿化度分区
		承压水矿化度分区
	水文地质特征点	水文地质钻孔
		泉
		民井
	水文地质特征线	第三系自流水界线
		第四系自流水界线
生态地质环境	生态地质环境现状	土地沼泽化
		土地盐渍化

数据库的建立步骤如下：

（1）按系统数据库设计结构，定义和建立各专题数据库。

（2）按各专题数据库所包含的子分类内容，在相应的位置建立要素数据集，并定义其空间参考。

（3）按各子类所包含的图层，在相应位置建立要素类。

（4）利用 Feature Class to GeodataBase 工具，将采集的 Coverage 格式的数据导入到地理空间数据库。

建立的关中盆地水文地质空间数据库的结构如图 7-3-1 所示。

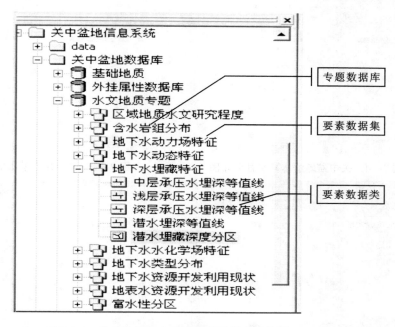

图 7-3-1　关中盆地水文地质空间数据库结构图

外部属性数据库主要存储水文地质动态数据,数据库的建立是利用 MS Access 软件。建好的数据库以外挂库的形式通过关键字段(CHFCAC),实现与相应图层的连接。

图 7-3-2 ~ 图 7-3-7 是系统数据库包含的部分图层。

图 7-3-2　关中盆地水文地质单元图

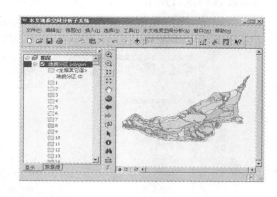

图 7-3-3　关中盆地地貌分区图

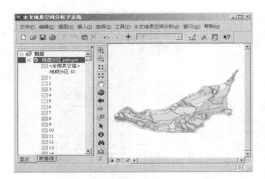

图 7-3-4　关中盆地潜水富水性分布图

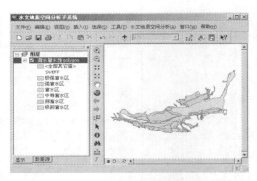

图 7-3-5　关中盆地承压水富水性分区图

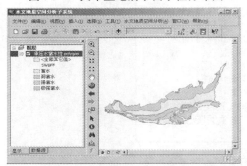

图 7-3-6　关中盆地等水位线图

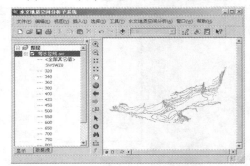

图 7-3-7　关中盆地等水位线图

利用水文地质空间信息系统空间数据的查询与检索功能,可以对图形数据与内部属性数据进行双向查询、SQL 条件查询以及外挂动态数据库与图形数据的互查。另外,根据勘察评价与管理等不同阶段的需要,系统可将分析成果按要求形式予以输出。输出结果按类型分为图形、图像、3D 图、文字、报表等。在内容上按标准分幅图、自然分幅图、分层图以及各种统计图表等输出。其中空间分析结果图存放在水文地质数据库的空间分析模型数据库中,用户根据需要可随时以不同形式输出。图 7-3-8 就是利用水文地质空间信息系统建立的关中盆地三维数字地形(数字高程模型)。

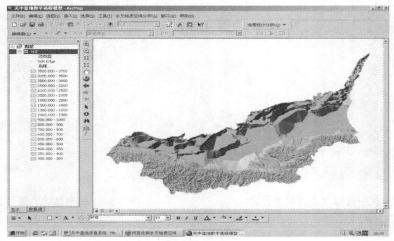

图 7-3-8　关中盆地三维数字地形图

7.3.2　水文地质要素的叠加分析

水文地质空间信息系统除了具有对信息采集、存储、管理、加工、提取和传递等功能外，还可实现图与图之间的空间运算、综合、分析等功能，从而可以产生各种新的专题图、综合地图、分析评价图等。其中图与图之间的叠加分析是空间分析的基本功能。例如，将潜水埋深分区图和土壤盐渍化图叠加，可提取地下水位埋深与表层生态环境之间的关系（如图 7-3-9 所示）。

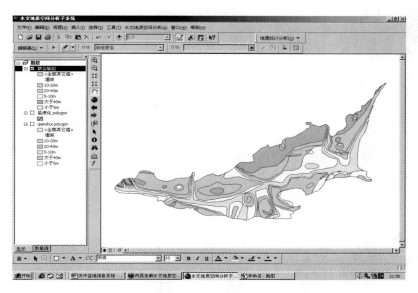

图 7-3-9　潜水埋深分区图和生态环境线现状图叠加

此外还可以将富水性图与含水层厚度等值线图叠加，提取富水性与含水层厚度之间的关系信息，从而为布井提供依据；将潜水等水位线图与潜水水化学图叠加，就可以分析径流条件对地下水水化学成分形成的影响等等。

由此可见，利用空间特征之间的叠加不仅可以方便地实现多要素的综合分析，挖掘更深层次的有用信息，生成综合图，而且大大提高了对水文地质条件分析的可视化。具有效率高、可直接输出图形、自动化程度高、动态性强等优势。值得指出的是：空间特征之间的叠加运算，包括逻辑的交运算、并运算和差运算等，不同运算所得分析结果不同，用户可根据需要合理选择。

7.3.3　地下水水化学成分分类

在水文地质工作中，为研究地下水的形成和水化学成分的分布规律，通常需要对地下水的水化学成分进行分类。目前分类一般采用舒卡列夫法、布罗茨基法、阿廖金法等方法，这些分类方法简单易行，基本上可反映地下水化学成分的形成过程，但由于分类标准大都以某一临界界线作为划分水型的依据，因而分类结果常常不能如实地反映出接近界限的水型。例如舒卡列夫分类中规定毫克当量百分数大于 25%，以此为界线作为划分水型的依据,这样容易将两个本来含量相似的水样,由于其中一个水样的某组分正好达到了25%标准,而另一个即便是24.99%,也因25%的界限被划分为另一种水化学类型,这显然是不客观的。为了从整体上考查每一个组分的属性,揭示地下水水化学成分的形成过程,本次以关中盆地235个水样分析资料的毫克当量百分数为依据,利用开发的水文地质空间信息系统中动态聚类法与舒卡列夫法相结合的方法对地下水水化学成分进行分类(分类数$C = 6$),分类结果如图7-3-10所示。

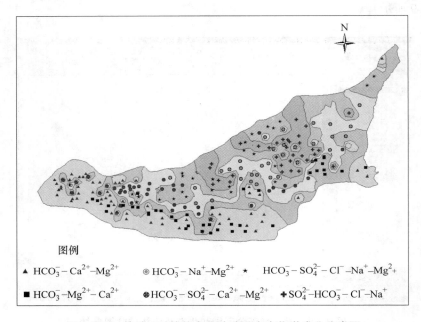

图 7-3-10 基于 GIS 的关中盆地地下水水化学成分分类图

利用水文地质空间信息系统中空间分析模型对水化学成分进行分析,可以根据目的、精度要求等,得出不同分类方案下的水化学变化规律。上述分类从宏观上基本反映了关中盆地地下水化学成分空间演化规律。

值得指出的是:利用本系统已对河西走廊和塔里木盆地地下水与环境进行了研究,取得了较好的效果,但在关中盆地应用是初步的,有待于进一步完善和发展。

第8章 地下水可再生能力及其维持途径

8.1 地下水可再生能力的理论探讨

关中盆地地下水资源变异引起了严重的经济、社会以及生态问题,面临着水资源短缺、水灾害加剧、生态环境恶化三大问题交织的严峻局面,这是关中盆地水、土、生态系统与人类社会经济系统相互作用下恶性发展的结果。渭河可能成为第二条黄河的论断,绝不是危言耸听。强烈的人类社会经济活动,引发了尖锐的水资源供需矛盾,又进一步导致一系列环境和生态方面的劣变过程,成为制约关中盆地可持续发展的"瓶颈"。

与地表水资源相比,地下水资源具有空间分布范围广、调节性强、水质洁净和可利用性强等优点,是人民生产生活的重要水源;同时地下水资源又是非常敏感和重要的环境因子,对于维持水循环、保证生态环境良性发展具有重要作用。因此,必须对关中盆地地下水的可再生能力进行度量、评价分析,以便为实现关中盆地地下水资源与生态环境、社会经济协调发展提供依据。

8.1.1 地下水可再生能力的概念与内涵

地下水是指存在于土壤岩石空隙中的水;从水循环的角度是指参与自然界水循环过程中处于地下隐伏径流阶段的水。由此可见,地下水是参与水循环的自然界水体的一部分,与大气降水及地表水是相互联系的,始终处于流动状态,并不断地与外界进行物质(水量、水质)、能量(水头)和信息(动态变化)的变换,从而使地下水不断得到补给和更新,只要开采合理,可以长期开采而不至于造成资源的枯竭,但是如果开采不合理,大量超采,不仅造成资源的枯竭,而且对环境产生影响。由以上分析可以看出,地下水是可再生资源,具有可恢复性。

基于以上分析,定义地下水的可再生能力是指:地下水在开发利用过程中,在完整的水文周期内,通过自然或人工与自然调节能够更新和恢复的能力称为地下水的可再生能力。地下水可再生能力的内涵主要表现在以下几方面:

(1)地下水的可再生性强调水文周期性。地下水在大气降水等补给下可以再生,但大气降水在时间分配上是不连续的,一年中有季节性的变化,多年中有干旱和湿润年份的交替。枯水期地下水系统部分含水层暂时处于疏干状态,但丰水期可以恢复其状态,使地下水系统具有丰枯周期变化。因此,地下水可再生性强调水文周期可恢复性,也就是地下水开发利用中以丰补欠原则。

(2)可再生性强调更新。更新不仅表现在量的方面,而且在质的方面的能力也能够恢复,两者不能截然分开。"质"的再生确定了"量"的再生,而"量"的再生离不开"质"的再生。

(3)调节是实现地下水可再生性的途径。调节包括三方面内容:第一,充足的补给水源;第二,含水层系统具有较大的储存和调蓄空间;第三,在人类活动影响下,还应有必要的调节措施,例如人工回灌、地下水库修建等。前两项是可再生的充分必要条件,后一项为可再生提供保障。

8.1.2 地下水可再生能力的特征

(1)地下水可再生是由水循环来实现的。地下水在参与自然界水循环过程中,不断地进行着水量、盐量、热量和信息(动态)的变换,时刻处于变动之中,并且与地表水、大气降水存在着密切联系和相互转化。大气降水和地表水等是地下水的补给源,同时地下水也向地表水水体和大气中排泄,使地下水得到更新和在水文周期内得到恢复,天然条件下大体处于平衡状态。

(2)地下水可再生性的有限性。虽然在参与水循环过程中,地下水不断得到更新、再生,但对于一个具体区域来讲,地下水获得的补给是有限的,如果在开发利用过程中超过可再生补给量,地下水将不再具有可再生性,进而诱发生态环境负效应。因此证明地下水的可再生能力是有条件的,不是无限的,存在着一个特定阈值。

(3)地下水可再生能力受地质地貌、地下水埋藏条件和人为因素的综合影响。地下水埋藏愈浅,参与自然界水循环愈积极,可再生能力愈强;当地下水埋藏较深时,地下水可再生能力愈弱,甚至地下水是地质历史时期形成的。另外,地下水的可再生能力除与外部的影响因素如降水、水文、地质地貌、植被等情况有关外,还与含水系统所容纳水的能力和水进入系统的通道的畅通程度密切相关,含水系统储水能力是指在可以获得补给的期间,系统中能容纳补给水量空间的大小。若空间太小,即便是补给量再大,地下水系统也由于容纳水的空间不足而不能获得补充。与此同时,人类活动已对地下水系统施加了强烈的影响,纯粹的天然状态已不复存在,因此在研究地下水可再生能力时还要考虑人类活动的影响。

8.1.3 地下水可再生能力的度量

地下水资源是在遭受自然变化和人类扰动下,诱发生态环境的恶化,显然是地下水资源不可再生的表现之一。地下水资源的可再生能力源于水文循环过程,并包含量与质两个方面的属性。地下水资源量的可再生能力反映了地下水资源在水量损失(蒸发、开采等)后,通过大气降水和其他途径(如人工回灌、调水等)可以得到恢复更新的能力。换言之,地下水可再生能力实际上也是地下水系统抗干扰的一种可恢复能力。

如何度量地下水的可再生能力迄今为止尚未见到有关报道。我们在分析了地下水可再生能力的概念、内涵与特征的基础上,认为地下水的可再生能力应该从补给能力、调蓄能力和水平更新能力三个方面度量。补给能力反映地下水系统的总库容中在水文周期内可以得到调蓄和更新的水量,即对综合补给量的自然调节控制能力,用补给能力系数 α 表示,α 可以用以下公式确定:

$$\alpha = \frac{Q_{补}}{V} \tag{8-1-1}$$

式中 $Q_{补}$——地下水系统补给资源;

V——地下水系统最大总库容。

调蓄能力反映在水文周期内累计调蓄量与最大调节空间的比值,用复调蓄系数 λ 表示,λ 可以从下式中求得:

$$\lambda = \frac{\mu F \sum\limits_{i=1}^{n} H_i}{(H_{max} - H_{min})\mu F} \tag{8-1-2}$$

式中　$\mu F \sum\limits_{i=1}^{n} H_i$——水文周期内累计调蓄量,由累计升幅、给水度和含水层面积之积求得;

$(H_{max} - H_{min})\mu F$——水文周期内最大调节库容,由最高水位与最低水位之差乘以给水度和面积求得。

水平更新能力反映地下水系统从补给区到排泄区的径流强度,反映地下水在得到补给量和调蓄水量后在含水层中的径流速度,可以用区域流速 v 来度量,也可以通过含水层导水系数 T 来间接衡量。

v 的求法可以通过从等水位线上直接获得,也可以通过同位素及其他方法获得,例如,利用同位素 ^{14}C 来确定区域地下水运动速度时,可沿地下水的流向选取两点,两点的 ^{14}C 浓度分别为 A_1 和 A_2,两点距离为 L,则

$$v = \frac{L}{\left(\dfrac{1}{\lambda} \ln \dfrac{A_1}{A_2}\right)} \tag{8-1-3}$$

式中　λ——^{14}C 的衰变常数。

由以上表达式可以看出,α、λ 和 v 受区域水文、气象、水文地质条件等因素制约,因而是一个区域化的参数,显然,α、λ 和 v 越大,说明地下水系统更新调蓄和可再生能力越强,地下水资源越丰富。

当然,在实际应用中可以根据水文地质条件选择相应的公式,例如,在以垂向水量交换为主的地区可以选用 α 和 λ 来评价地下水可再生能力,如黄土地区;既有垂向水量交换,又有水平水量交换,可以选用 α、λ 和 v 来综合评价。

以上仅仅是对地下水可再生能力度量的探讨,公式的适用性有待于在实践中进一步检验和完善。

8.2　地下水可再生能力维持的途径

关中盆地特殊的自然地理环境、水资源贫乏及其时空分布不均等特点,决定了关中属于资源型缺水地区。可以预见,随着经济的发展,缺水将是关中盆地一个长期而尖锐的问题。维持关中盆地地下水可再生能力要坚持"勘查与开发、地表与地下、开源与节流、兴利与防害、利用与管理"五个并举的方针,并要协调好水源开发与生态环境、工农业生产力布局与水资源条件之间的关系。在水源开发与利用上要因地制宜、统一规划、统筹安排、综合利用,加强地表水与地下水联合调配;在供水方向上要朝着面向全社会服务、城乡供水

统一调度、分质供水的方向发展,逐步建立节水型社会,发展节水型产业。

8.2.1 优化水源开发利用模式

根据水资源在地域上的分布特点、开发潜力,从水源的开发利用与社会、经济、环境协调发展的角度出发,结合地质地貌、水文地质条件和水资源分布特征提出 8 种水源开发利用模式,以期为关中盆地今后水资源宏观开发利用指明方向。

8.2.1.1 秦岭山前地下水库开发利用模式

秦岭北坡水系发育,习有"七十二峪"之称,山前具有大厚度的第四纪冲洪积物,冲洪积扇的前缘受岩相的影响,往往形成潜伏式地下天然截流坝,贮存空间大。源于秦岭的河流,水量较大,水源清洁,而且由山区进入平原后,流速骤减,产生大量垂直渗漏,有的渗漏殆尽,全部补给地下水。据实测,河水渗漏系数为 0.2 ~ 0.4,个别高达 0.8 ~ 1,同时尚可得到降水、侧向径流以及灌溉回归水的入渗补给,补给源充沛,从而形成了规模宏大的天然"地下水库",富水性强,易蓄易采,蕴藏着较大的开发利用潜力。目前除涝峪冲洪积扇区地下水库已探明可开采资源 20.8×10^4 m^3/d 外,大部分峪口的地下水库尚未进行勘探了解,根据水文地质条件,在山前太平峪、田峪、泔河、汤峪河、涧峪、罗夫河等冲洪积扇地区都具有建地下水库的条件,只要通过山内治理和山外必要的工程措施,达到以丰补欠,充分利用洪水,可在较大峪口冲洪积扇区建立集中供水水源地获取 15×10^4 ~ 20×10^4 m^3/d 的可采资源,以及在中小型冲积扇区建立 3×10^4 ~ 20×10^4 m^3/d 的集中供水水源地是可能的。将这些地下水库统一联网,并将开采量并入已建成的石头河—黑河引水管道,用于支持关中陇海铁路带城市群落的生活和生产用水,是合理利用本区水资源,解决关中近、远期供水需求矛盾的方向之一。

根据水文地质条件,可在冲洪积扇的中上游单一潜水区,采用群井强采、枯采丰补、以丰补欠的调蓄方式。为实现这种调蓄方式,在工程措施上应采、补相结合。在采水工程上按 400 ~ 600 m 间距布设 100 m 左右深度的管井进行强采。补源措施上可在河流的上、下游分级修建高出河床 1 ~ 2 m 的滞洪坝,延长河水对地下水的补给时间,增加河床中水层厚度与湿周长度,从而可达到增加地下水补给量的目的;也可利用扇体上游的一些废弃沙坑引洪水进行人工回灌。通过这些工程措施可达到充分利用洪水、增加补给量的目的。

通过对水文地质条件的分析,区内具有调蓄地段的面积约 1 040 km^2,若给水度以 0.3 计,调蓄深度为 5 m 时,调蓄量估算为 15.6×10^8 m^3。据预测,2000 年关中地区缺水 14.9×10^8 m^3,如成功开展引渗、发挥地下水库的调蓄功能,将使地下水增加相当于这一数字甚至更多的补给量,从而可大大缓解供需矛盾,具有重大的社会效益;同时,地下水库具有不占耕地、不需搬迁、水质不易受污染、投资少、见效快的特点;更重要的是开发地下水库可起到调蓄水资源在时程上分配的不均匀性,充分利用水资源,还可避免大量引地表水,使水资源搬家而引起调出水区的生态环境恶化。另外,采取在河流上修建滞流坝的工程措施,可使部分水体流向下游,缓解上下游用水的矛盾。由此可见,采用地下水库开发模式可获取显著的社会经济环境综合效益。

8.2.1.2 渭河、黄河干流近岸开发模式

渭河纵贯关中地区,在关中流程长 502 km。黄河从关中东界流过,在关中流程长 140

km。开发渭河和黄河过境水对关中沿渭、黄地区的城乡供水和经济发展具有重要意义。然而渭河干流因受陇海铁路高程的限制,难以建库,且黄河、渭河泥沙含量高,直接开发利用难度大。但在渭河及黄河滩地兴建傍河水源地却十分有利。兴建傍河供水水源地,可充分利用地层的天然过滤和净化功能,激发河流补给,保证稳定供水,可起到地表水地下水联合开发、相互调剂和水资源高效利用的目的,是多泥沙河流水资源利用的有效方式。根据有关部门勘察和已有水源地开采实践证明,在渭河和黄河近岸兴建水源地每公里产水能力为 $1 \times 10^4 \sim 2 \times 10^4$ m³/d,若考虑渭河、黄河的保证程度,沿黄河、渭河滩地和一级阶地地区建设产水量 $2 \times 10^4 \sim 30 \times 10^4$ m³/d 的中—大型水源地是完全可能的。以渭河为例,目前沿渭河已建成傍河水源地共计 30 处,总开采量为 6.17×10^8 m³/a,预测尚有前景的傍渭河水源地共有 21 处,预测开采量 6.99×10^8 m³/a,两项合计总开采量为 13.16×10^8 m³/a,渭河在 75% 保证率时径流量为 39.42×10^8 m³/a,95% 保证率时径流量为 27.14×10^8 m³/a。若设傍渭河水源地总开采量中有 70% 来自地表水,水源地激化地表水量将为 9.21×10^8 m³/a,那么在 95% 保证率时,地表水的保证量还剩 17.93×10^8 m³/a,加之含水层的储存调节作用的发挥,傍河水源地开采量基本上是有保证的,且不会对下游河道生态环境产生很大影响。

8.2.1.3　渭北黄土台塬及渭河冲积平原井渠结合模式

井渠结合开发利用模式可以在泾河以西黄土台塬区和泾河以东冲积平原区等地段实施。泾河以西,自 20 世纪 70 年代以来先后建成宝鸡峡和冯家山两大灌区,主要以引地表水灌溉为主,地下水开采很少,由于灌溉回归量剧增,地下水位普遍上升 3 ~ 10 m,许多地方地面渍水,引起一些房屋倒塌、有的村庄被迫迁移,农田弃耕、水质恶化等环境负效应。因此,在这些地区应以井渠结合开发模式为主,通过大量调查研究分析认为,对于地下水位埋深 5 ~ 10 m 的地区,实行井渠双灌模式,根据优化模型分析计算,地下水与地表水合理配水比例以 3:7 为宜;地下水位埋深 10 ~ 20 m 的地区,应以防为主,实行井渠结合灌溉模式;地下水位埋深大于 20 m 的地方,仍可以渠灌为主,但要实行"按亩配水",严禁大水漫灌,并加强观测监督。

泾河以东的冲积平原地带为泾惠、洛惠、交口抽渭三大灌区,灌溉面积达 22.62×10^4 hm²。该区地下水位埋深较浅,因大量引地表水灌溉和灌溉技术落后,致使地下水位逐渐上升,遇降水量大的年份,上升幅度更大。随着地下水位升高,土壤次生盐渍化、沼泽化面积不断扩大。1983 年区内降水量大,高出多年平均降水量 20% ~ 30%,结果出现明水、沼泽面积达 1.47×10^4 hm²,交口抽渭和洛惠渠区次生盐渍化面积达 1.53×10^4 hm²,地下水位埋深 0 ~ 2 m 的面积达 9.33×10^4 hm²。这些地区适宜建立井渠结合模式,应用均衡法确定渭河冲积平原区地下水配水比例为 50% ~ 54%。

灌区实行井渠结合模式,可以起到井渠互补、余缺相剂和采补结合的作用以及提高灌溉保证程度和水的利用率,有利于调控地下水位,改善农业生态环境,另外可将农业节余的地表水供给城市,缓解城市水供需矛盾,这是充分利用当地水资源、解决关中供水需求矛盾的又一重要方向。

8.2.1.4　北部山区岩溶水开发模式

关中北部山区分布有岩溶水,含水层为奥陶系和寒武系灰岩,其中以中奥陶统灰岩含水层水量最丰富。以覆盖型岩溶为主,具有明显的北方岩溶特征。因东西部岩溶在构造、岩溶发育程度、水文网分布等诸方面存在着差异,导致东、西部岩溶地下水在分布特征、运动及赋存规律等方面存在着较大差异。

渭北东部岩溶水包括铜—蒲—合岩溶子系统和韩城岩溶水子系统,两个子系统以东部爱帖村逆断层—秦家河逆断层为界,两侧水力联系微弱,岩溶水的水质、水位动态皆存在明显差异。岩溶比较发育,各种形态各异、大小不等的裂隙、溶隙以及断裂通道交织在一起,形成网络,是区内岩溶水的主要导水通道和水空间,形成网状—似层状的流动特征,具有多区补给、多途径流、多级排泄的特点。在近 7 000 km² 的范围内岩溶水水位标高相差仅 10 m 左右,与 380 m 接近,因此称为"380"岩溶水。铜—蒲—合岩溶子系统,断裂与断块是该子系统的主控条件,NE、NEE 向及 NW 向呈入字形和歹字形高角度正断裂异常发育,呈"堑中有垒"、"垒中有堑"的断块型蓄水构造,断层开启程度好,破碎带宽度大,是岩溶水富集的场所和强径流带,富水性强,单井涌水量通常都在 3 000 m³/d 以上,高者可达 2.9×10⁴ m³/d,从而在平面上构成 NE、NEE 向分布,富水程度不同的含水带,均可形成岩溶水大型—特大型水源地。韩城岩溶水子系统,受构造的控制尤为突出,该系统岩溶层产状为走向 NE 及 NEE,呈倾向 NW 的单斜构造,近韩城大断裂处岩层局部直立、倒转部分为急倾斜,这对降水入渗十分有利。在大断裂两侧,尚有多条与其近似平行的逆断层发育在岩溶层由急倾转缓的转折部位,一系列与主干构造一致的纵张和相交切的横张裂隙十分发育。除黄河外,尚有多条流经岩溶含水层裸露区的大小河流,有利于大气降水的直接入渗和河水的渗漏补给,是韩城岩溶水系统主要的补给源。在这些有利的地质、水文地质条件下,形成了韩城大断裂两盘带状展布的强径流带和富水地段。

渭北西部岩溶水研究程度较低,该区岩溶地层为一套海陆交互相沉积,主要岩性为灰岩、白云岩、泥岩、页岩、砂岩等互层,形成了易溶岩与非溶岩相间分布的特点,岩溶形态以溶隙为主,溶孔次之,溶洞零星分布于裸露区。岩溶地下水的富集和运动受构造控制,岩溶泉主要在深大断裂与主要水系交汇部位出露。地下水主要沿北东、北西向断裂向南流动,流至山前后受到一系列阶梯状断裂的影响,岩溶体与新生界地层对接,形成区域性的阻水构造,使岩溶水沿山前断裂汇集,形成多个相对孤立的岩溶水富集区。处于这类构造部位的筛珠洞泉流量达 2 m³/s,龙岩寺泉流量 0.5 m³/s,周公庙岩溶生产井最大自流量 240 m³/h,刚完工不久的乾县岩溶勘探井深 800 m,水位降深 20 m,涌水量 5 000 m³/d;富平县岩溶勘探井深 780 m,降深 12 m,涌水量达 3.1×10⁴ m³/d。

据初步分析,东部岩溶水天然补给量为 75.15×10⁴ m³/d,可测排泄量 61.31×10⁴ m³/d;渭北西部岩溶水,限于研究程度低,以往资料补给量为 34.80×10⁴ m³/d,可测排泄量 16.83×10⁴ m³/d。应用开采试验法等方法评价,渭北东部岩溶水开采资源量为 61.40×10⁴ m³/d,其中铜—蒲—合子系统可采资源为 56.76×10⁴ m³/d,韩城子系统可采资源为 4.64×10⁴ m³/d。目前,该区岩溶水的开发利用仅限于东部的韩城电厂、部分工矿企业、大荔和蒲城两县饮改水工程和局部饮用及农灌。据调查,渭北东部岩溶水总开采量仅为 17.37×10⁴ m³/d,占渭北东部岩溶水总补给量的 23.11%。其中铜—蒲—合子系统开采量为 12.73×10⁴ m³/d,韩城子系统开采量为 4.64×10⁴ m³/d。渭北西部岩溶水的利用仅在一些岩溶大泉附近引水,解决人畜饮用和小范围农田灌溉及少数生产井开采,利用量不超过 5 000 m³/d。综上所述,渭北岩溶水开发潜力较大,其中,渭北东部尚有 44.03×10^4 m³/d 的开发潜力;渭北西部基本上未开采,粗略估算尚有 26.78×10^4 m³/d 的开采潜力。对这部分岩溶水开发通过在水量丰富的碳酸岩浅埋区的岩溶水排泄带凿井,建立集中供水水源地,或以引泉方式加以利用,所采(引)之水用于支持渭北能源基地和经济开发区生产和生活用水,也可依靠地形自然落差通过管道以自流方式输送给渭北各县城城市用水;富水性中等的中埋区和南部深埋区在构造上有利的地段,可进行面上的零星开采;东部靠近黄河地区,岩溶水与黄河水有密切的水力联系,可以激化开采的方式,扩大开采量;对矿区岩溶水应采取排供相结合的开采方式,除害兴利,进行综合开发利用。

8.2.1.5 深层地下水开发利用模式

深层地下水指埋藏 300 m 以下的地下水,关中盆地由于有巨厚的三门组及上新统松散层存在,为深层地下水的存在提供了赋存空间。目前除了广泛开采 300 m 以内冷水及大于 1 500 m 的热水外,其间 500~1 500 m 的深层水基本尚未开发,粗略计算储存量在 20×10^8 m³ 左右,水质良好,局部地带达到矿泉水标准。考虑到关中水资源在地域上余缺不均,在极端缺水的情况下,适量开发深层地下水对解决局部缺水有重要意义。但对深层地下水的开发,一要科学合理,谨慎从事;二要采取分散开采方式;三要限量开发,严格控制,不宜列入供需平衡;四要避免在城区开采。

8.2.1.6 地表水蓄引提模式

关中地区自 20 世纪 30 年代以来先后修建了泾惠渠、宝鸡峡灌区、交口抽渭、冯家山、石头河、羊毛湾等水利工程。这些水利工程的兴建,在防治水害、抵御干旱、促进关中农业的发展方面起了重要作用。但是,随着经济的发展,地表水源的开发又存在着不相适应的地方,制约了工农业的发展。根据关中地表水源开发中存在的问题以及地形、水源分布的特点,地表水源的开发应遵循"挖潜改造,以蓄为主,蓄、引、提相结合,高水高用,西水东用,南水北调,黄河水西调"的原则;在水源利用上既要着眼于农业,又要保证城市和工业用水,统一调度,合理配置,逐步实现网络化调水系统。

根据上述原则,在地表水源开发上首先要做好灌区改造,推广喷灌、滴灌技术,提高水资源的利用率和灌溉效益。当前应抓好九大灌区联网改造,九大灌区现有面积 59.43×10^4 hm²,有效面积 53.99×10^4 hm²,改造工程完工后可增加配套面积 4.07×10^4 hm²,改善灌溉面积 20.66×10^4 hm²,增加调蓄水量 4.653×10^8 m³,节水 $7 750 \times 10^4$ m³,其社会经济效益明显。其次兴建蓄、引、提工程,增加可供水量,蓄、引、提工程兴建要因地制宜,有利于环境改善。渭河以南、新河以西地区,水资源相对比较丰富,除了满足区内工农业及人畜用水外,尚有余水外调。因此,除了利用石头河水库及正在兴建的黑河水库向西安供水外,还可向北过渭河向咸阳、兴平等城市供水;渭河以南、新河以东地区,区内水资源供需矛盾突出,地表水源开发应以配套挖潜已有工程、积极兴建蓄水工程为主;渭河以北、泾河以西区,现已形成了以宝鸡峡引渭、冯家山水库、羊毛湾水库为骨干的灌区地表水供水系统,但区内供需矛盾仍然突出,主要表现为蓄引水工程供水标准过低,羊毛湾水库供水不足,而冯家山水库则有大量弃水等。为此,区内地表水源开发模式是提高现有蓄水工程供水标准,兴建小型蓄水工程,增加蓄水量,实行区内外调水。渭河以北、泾河以东地区是关中盆地缺水较为严重的地区,有泾惠渠、交口抽渭、洛惠渠、桃曲坡水库、石堡川水库等农田灌溉供水工程,但供水不足。本区地表水源开发的重点应放在开发黄河过境水和洛河与泾河水源上,应积极争取和尽早建设洛河南沟门水库、泾河东庄水库、禹门口抽黄工程、黄河古贤引黄工程;泾河张家山以上区,为关中著名的北五县干旱区,区内高塬沟壑,田高水低,降雨稀少,主要河流为泾河过境河流,较大支流为发源于甘肃的黑河、达溪河,其余如红崖河、马栏河以及四郎河等均为不大的支流。但区内缺少骨干供水工程,可在其支流适宜地段修建中小型水库。

8.2.1.7 雨水集流模式

渭北旱塬区,区内高塬沟壑,干旱少雨,且降雨常时令不佳,有限的降水也因地面坡度大而流失,很多耕地实际上是跑水、跑土和跑肥的"三跑田",人畜饮水十分困难。对这些地区除了充分利用地表水、地下水源外,开展雨水集流是一项实用、经济、见效快的水资源开发利用模式。实施雨水集流开发模式就是以小工程大群体的方式利用田边地头的集水坑、塘、窖拦蓄降水,存留至灌季,采用微灌保苗抗旱,发展节水灌溉,形成人饮节灌一体化工程,可以解决不宜修建水库和地下水资源贫乏地区的生产和生活用水问题,有利于减少地面径流和水土保持,这是当前解决渭北旱塬地区缺水的一项重要途径。据测算,在渭北旱塬区投资 7.2×10^8 元,可建成窖窖 360 万眼,蓄水 1.08×10^8 m^3,可灌地 20×10^4 hm^2,若这项工程能够实现,对缓解渭北旱塬区生产和人畜饮水问题将具有重要的意义。

8.2.1.8 污水处理回供利用模式

随着城市工业和生活需水量的增加,废污水的排放量将日益增加,为了保护生态环境,必须对废污水进行处理并使之资源化,这是充分利用当地水源、减少环境污染、增加有效供水量的一项重要举措,是今后本地区的重要再生水源。据有关资料报道,城市通过节水与污水资源化至少可减少用水量 $\frac{1}{3} \sim \frac{1}{4}$。关中盆地年污水排放总量达到 6.5×10^8 m^3/a,其中工业废水排放量约 3.0×10^8 m^3/a。如果将关中盆地排放的废污水处理到 80%,并加以重复利用,将增加可供水量 5.2×10^8 m^3/a,可见潜力巨大。污水处理后除工业重复利用外,还可供农田灌溉、城镇生态环境用水,有条件的地方还可利用处理的污水作为地下水的回灌水源。这样既可以控制水污染,又可以提高水资源综合利用水平,具有巨大的社会经济和生态环境效益。

随着西部大开发战略的实施,关中地区在振兴陕西经济的区位优势愈来愈重要,对水资源的需求量也将日益增大。因此,加强区内水源优化利用模式研究,使水资源开发利用与社会经济环境协调发展,对促进区内经济持续发展具有重要意义。

8.2.2 调整供水水源结构,实行分质供水与水的循环使用

8.2.2.1 调整水源结构,实行分质供水

关中盆地水资源缺乏,尤其优质水源有限,因此在水源利用上应根据工农业产业结构对水质的要求,开展分质供水、优质优用,这是综合利用有限水资源的有效措施。生活用水立足于地下水或优质地表水;工业用水大体上可分为锅炉、洗涤和冷却用水。锅炉用水对水质有特殊要求,可选用地表水或地下水;洗涤用水可利用地表水;对水质要求不高的冷却用水和市政用水,可利用回用水;对东部涝碱地段可开采部分苦咸水进行农田灌溉,

以补充农业用水不足。

8.2.2.2 行业间用水统筹安排,循环使用

为实现节水和综合利用的目标,应打破条块分割,农业用水、城市用水要相互兼顾,城市中应加强用水单位的横向联系,打破行业用水界限,采用废水处理重复使用的综合利用模式,逐步推广一水多用。例如火电用水尽量与农田灌溉相互重复使用,用火电热水发展冬季温室蔬菜栽培,火电排水进一步与供暖、渔业等用水相结合。

8.2.3 实施外调水源模式,合理配置跨流域调水

随着人口增加和经济发展,对水的需求量将日益增加,而关中可利用的地表水和地下水资源只有 50.36×10^8 m³,1998 年需水 47.73×10^8 m³,2010 年和 2020 年需水量将分别达到 58.82×10^8 m³ 和 62.85×10^8 m³。在未来的 20 年中,无论采取什么样的节水措施,都很难弥补关中盆地需水的缺口,必须要从更为宏观的层次上和在更大范围内统一考虑外流域调水措施,以求在较长时期内和较大程度上改变关中盆地水资源天然分布与生产力布局不相适应状况,其中"调引陕南的水接济关中"这一主张近几年已成为水利专家和经济学专家们的共识。

陕南秦巴山区降水量大,河流多,水质优良,峡谷筑坝蓄水条件好,是陕西最理想的水源采集地。无论从水源条件,还是工程技术上来讲都是可行的,从陕南调水接济关中可用于支持关中陇海铁路带城市群落的生活和生产用水,视水量大小也可用于发展关中的节水灌溉农业。在关中城市逐渐增多、城市供水日趋紧张和区内可供水量有限的情况下,调引陕南的水接济关中可以说是最佳的战略选择。经科学论证,目前具有战略意义的省内南水北调工程有引红济石工程、引嘉济渭工程、引子济黑工程、引洵济涝工程,同时实施乾佑河向石砭峪引水、金井河向灞河引水等引水工程,增加渭河流域水量。值得指出的是,在考虑跨流域调水模式时,必须要充分考虑以下要求:①跨流域调水必须建立在本区内水资源充分利用的基础上;②社会急需与投资能力;③近期与长期相结合;④调入水区与调出水区生态环境的协调;⑤调水方案间要相互衔接,避免浪费。

8.2.4 构建集约利用的节水型社会体系

节水是缓解水资源紧缺的重要途径,也是我国为解决水资源问题所确立的基本国策。面对关中这样一个资源型缺水区,以开源和节流而论,虽然水资源的广度开发仍有潜力,但最大的潜力是节水,这里关键在于节水的深度开发。为此,要严格控制需水量的无限制增长,努力提高全社会节水意识,做到取水有计划、节水有措施,让用水部门在节水中求生存、求发展,逐步建立起一个高效合理用水的节水型社会经济体系。节水型社会经济体系的建立要通过节水型的产业结构、种植结构、技术结构、居民点和工业点结构与空间结构等来实现,它由节水型农业生产体系、工业生产体系和城乡节水型的居民生活体系等组成。

8.2.4.1 农业节水

农业是关中盆地的第一用水大户,农业灌溉用水占到用水总量的 70% ~ 80%,每公顷平均用水量达 4 500 ~ 7 500 m³,1995 年农业实际用水量达到 34.46×10^8 m³,而水的有效

利用系数只有 0.3～0.4,个别井灌区也只有 0.6 左右,而世界公认缺水闻名的美国得克萨斯州和以色列均已达到 0.8 以上;从灌溉效益上来看,平均每立方米水生产谷物不足 1 kg,而以色列已达到 2.32 kg。这些都充分表明,在解决农业干旱问题上,水的如何使用是亟待解决的问题,也说明农业节水潜力巨大。若将农业用水的有效利用率提高 20%,每年可节水 $6.892 \times 10^8 \ m^3$(以 1995 年实际用水量推算)。

8.2.4.2　工业节水

工业是关中盆地第二用水大户。由于设备和用水工艺落后,万元产值耗水量高,水资源重复利用率较低,如 1990 年宝鸡、咸阳、西安市的工业用水重复利用率分别只有 34.5%、51.7% 和 56.9%,近年来尽管采取了一些行政、法律和经济手段,广泛开展节水工作,工业用水重复利用率有所提高,但与北京、石家庄、青岛、大连、山东枣庄市(90.5%)等城市相比,仍有一定的差距,说明关中盆地工业节水工作仍有着巨大的潜力。

工业节水的重点应放在提高工业用水重复利用率,降低工业产品单位产量或产值的耗水量,从而提高工业用水的利用率;从工业部门来看,节水重点应抓住电力、冶金、化工、石化、纺织和轻工行业的节水;工业用水按用途分为冷却用水、工艺用水、锅炉用水和洗涤用水四大方面,从国内外资料分析,其中冷却用水所占比重最大。因此,从工业用水的用途上讲,节水重点应放在冷却用水上。此外,要改进工艺,减少用水环节,如冶金工业中以气化冷却技术代替水冷却技术以后,可节约用水 80%。

8.2.4.3　城乡生活节水

生活用水方面要推广使用节水型卫生设备及净化水处理装置,这是节约城乡生活用水的有效办法,同时生活用水要实行一水多用、循环复用,例如将洗菜、洗脸和洗衣的污水用于冲刷厕所,可达到节约用水的目的。国内一些城市在这方面已取得了成功的经验,如山西省水利勘测设计院 1987 年建成一套中水道系统,将污水回用于冲厕所、绿化、冲洗汽车等,节水 40%,节水潜力很大。此外要加强对供水管网的管理,杜绝跑、冒、滴、漏现象,把浪费水资源减小到最低程度。

综上所述,无论是农业还是工业和城乡生活用水,节水潜力巨大,只要投入必要的资金和技术,就有可能将其转化为现实的水资源。其转化条件是高效率的管理。在近期内国家财力有限,很难上大的工程的情况下,节水无疑对解决关中盆地的水资源紧缺有重要的意义。从根本上讲,就是实现了南水北调也不能忘记节水,节水比开源更重要,节水见效快,能够立竿见影。可以粗略算一笔账,1995 年关中工业实际用水 $10.92 \times 10^8 \ m^3$,仅将重复利用率由平均 50% 上升到 80%,一年可节水 $3.276 \times 10^8 \ m^3$;农业用水 $34.461 \times 10^8 \ m^3$,若将大水漫灌改为喷灌,按平均节水 50% 计(喷灌或滴灌比大水漫灌可节水 1/2～4/5),则一年可节水 $17.230 \ 5 \times 10^8 \ m^3$;若将排放的 $3 \times 10^8 \ m^3$ 污水处理 80%,只要重复利用一次,可节水 $2.4 \times 10^8 \ m^3$;其他城市生活、市政用水等的跑、冒、滴、漏现象如能杜绝 20%,一年也可节水 $1.1 \times 10^8 \ m^3$。上述几项合计可节水 $24 \times 10^8 \ m^3$,比泾河水资源量还要多 $4 \times 10^8 \ m^3$,比西安市地表水资源量($22.8 \times 10^8 \ m^3$)多 $1.2 \times 10^8 \ m^3$,这就相当于关中大地上又多了一条泾河。

8.2.5　建立健全水资源管理体系,强化水资源管理工作

应进一步加强水资源管理工作,健全机构,理顺体系,制定和完善水法规和水政策,依

法治水、管水,统一规则,统筹安排,综合利用,加强地表水与地下水联合调配,解决好生活用水与工业用水或农业用水的矛盾。此外,还要加强水资源合理开发利用的科学研究,运用系统工程,在综合考虑水资源系统与社会经济的基础上,建立可供实际操作调度的水资源管理模型和信息联作系统、决策支持系统和预警系统等,逐步建立健全科学的水资源管理控制体系。严格执法措施,强化流域管理工作,使新水法的各项措施落到实处。

8.2.6　调整产业结构,优化区域生产力布局

目前,水资源已成为生产建设规划布局的制约条件,为此,要根据水资源条件调整和优化产业结构,对区域生产力合理布局,形成节水型经济结构,实现水资源与国民经济合理布局,促使经济效益和环境效益最优。

产业结构调整方面,在保证规划目标产值的条件下,通过产业结构的优化与调整,使有限的水资源在经济系统中合理分配,以发挥最大效益,把"以水定工业"作为产业结构调整与生产力布局的一个基本原则,这也是合理利用有限水资源的必要手段。重点发展机械、电子、食品、通信、信息等低耗水的产业,限制大耗水低产值的产业和容易造成污染的产业。

在工业生产布局上,要充分考虑水资源条件,实行以源定供、以供定需,从更大的宏观范围——关中经济协作区来考虑规划经济发展问题,充分发挥经济协作区的互补协调作用,把耗水大的工业放置在水资源较丰富的秦岭山前和东部沿黄一带,使之成为卫星城市,做到就地开发、就地使用,这既可减轻城区供水的压力,还可以避免由于城市工业过度集中、需水量不断增加、地下水的开采强度远远超过允许开采量而引起的环境负效应,同时也减少了长途输水的费用,可取得巨大的社会经济效益和环境效益。

城市的发展受水资源、环境容量等自然条件的制约,面对水资源紧缺的局面,要控制城市中心区的发展规模,充分发展中、小城市和卫星城镇,建立分散型的供水系统,这是缓解水资源供需矛盾的关键性措施。

农业在粮食、棉花、油料稳定增长的前提下,要因地制宜,充分发挥各地区的资源优势,合理安排农林牧副渔发展比例。

8.2.7　充分发挥经济杠杆作用,促进节水

充分发挥经济杠杆作用,促进节水工作。水的浪费大,其中一个重要原因就是水不管用于农业、工业还是生活都是低价的。长期以来,水的商品属性不被人们所重视,水价不到位,居民喝供水企业的"大锅水",企业吃财政的"大锅饭",使企业和政府不堪重负,而且还造成水的大量浪费。例如,1998年10月我们对关中盆地部分县城供水价格进行了实际调查,岐山县城生活用水 0.70 元/m³,生产经营用水 0.90 元/m³,而城市供水 1.08 元/m³;宝鸡县生活用水售价只有 0.45 元/m³;凤翔县居民生活用水为 0.6 元/m³,占成本 1.03 元/m³ 的 58.3%;千阳县生活用水 0.45 元/m³,工商业用水 0.65 元/m³,建筑业用水 0.85 元/m³,平均水价 0.5 元/m³,仅占成本 0.86 元/m³ 的 58%;临潼县生活用水 1.10 元/m³,行政、事业单位用水和经营生产用水分别为 1.30 元/m³ 和 1.80 元/m³。从这些调查资料来看,水价普遍偏低,个别县仍为水价"倒挂"。水费低廉的现状难以唤起人们的节水意识,不仅助

长了滥用,而且使水源工程难以维持简单再生产,致使许多工程老化失修,供水能力严重不足,单宝鸡县由于管网老化造成水的浪费就占8%。因此,必须将水资源纳入商品经济的范畴,按照经济规律管理水资源,制定合理的水价政策,废除无偿供水或低价供水,实行"浮动价格,枯水高价,丰水低价,超计划用水加价,按质论价"的政策,努力做到"以水养水"。国内外经验告诉我们:水价提高10%,用水量下降5%。由此可见,利用经济杠杆作用可调动用水者节水的积极性,对缓解关中水资源紧张状况具有重要的现实意义。

8.2.8 加强水源涵养建设,推进水资源和生态环境保护

在水源涵养建设方面,要重点加强秦岭北坡水源的涵养建设、渭河两岸和黄河沿岸的防护林建设、公路和铁路两侧的绿色屏障建设。在秦岭北坡山前、洪积扇区以及西安市灞河水源地、西北郊水源地等有条件地区,实行人工回灌,充分利用洪水资源,增加调蓄能力,实现以丰补欠,余缺相济。

解决水资源供需矛盾是以水源保护和生态环境保护为前提的。在加大力度开发水资源的同时,一定要协调好上下游、调入水区与调出水区、地表水与地下水、经济发展与水资源条件、资源开发与生态环境保护之间的关系,贯彻合理开发与保护并重的方针,预防和治理由于水资源开发不当而造成的环境负效应。在地下水源开发中要以量定采、合理布局,科学地确定井深和密度,在地下水资源比较丰富、机井密度小的地区,可适量增加开采强度;而在地下水超采漏斗不断加深、扩大和地质环境趋于恶化的地区,则限制开采,尽快做到采补平衡。对已产生地面渍水和土壤盐渍化的灌区,要实行井渠结合开发模式,优化地表水、地下水的配水比例,将地下水位控制在安全深度内,并使已有渍水、土壤次生盐渍化的地区逐步恢复原貌。同时,加强治理水污染,严格管理城市污水的排放,防止超标排放,积极开展污水净化处理再利用,实行污水资源化。

参考文献与资料

[1] A. E. Williams and Daniel P. Rodoni. Regional isotope effects and application to hydrologic investigations in Southwest California, Water Resources Research, 1997, 33(7), 1721 ~ 1729

[2] Alan E. Fryar. etc. Groundwater recharge and chemical evolution in the southern High Plains of Texas, USA. Hydrogeology Journal. 2001, 9(6): 522 ~ 542

[3] A. Vandenbohede, L. Lebbe. Numerical modeling and hydrochemical characterisation of a fresh-water lens in the Belgian coastal plain. Hydrogeology Journal. 2002, 10(5): 57 ~ 586

[4] Bwire S. Ojiambo, Robert J. Poreda, and W. Berry Lyons. Ground Water/Surface Water Interactions in Lake Naivasha, Kenya, using $\delta^{18}O$, δD, and $^3H/^3He$ Age-Dating, Ground Water, 2001, 39(4): 526 ~ 533

[5] 陈梦熊, 马凤山. 中国地下水资源与环境. 北京: 地震出版社, 2002

[6] Chen Zhu. Estimate of Recharge from Radiocarbon Dating of Groundwater and Numerical Flow and Transport Modeling, Water Resources Research, 2000, 36(9), 2607 ~ 2620

[7] Clark I D, Fritz P. Environmental isotopes in hydrogeology. New York: Lewis Publisher. 1997

[8] 房佩贤, 卫中鼎, 廖资生, 等. 专门水文地质学. 北京: 地质出版社, 1986

[9] 关秉钧. 我国大气降水中氚的数值推算, 水文地质工程地质, 1986, (4): 38 ~ 41

[10] H. Oster et al. Groundwater Age Dating with Chlorofluorocarbons, Water Resources Research, 1996, 32(10), 2989 ~ 3001

[11] 黄廷林, 解岳, 任磊, 等. 黄土地区石油类污染的非点源污染特征与控制对策初探[A], 徐德龙主编, 第四届陕西省青年科学家论坛文集 资源环境可持续发展. 西安: 世界图书出版西安公司, 1999: 194 ~ 199

[12] 姜桂华, 王文科. 关中盆地潜水硝酸盐污染分析及防治对策. 水资源保护, 2002, (2), 6 ~ 8

[13] Kathryn R. Larson et al. Water Resource Implication of ^{18}O and ^2H Distributions in a Basalt Aquifer System, Water Resources Research, 2000, 38(6): 947 ~ 953

[14] 寇宗武. 八十年代中期以来我省的水资源形势. 陕西水利, 2001, (2): 15 ~ 16

[15] 寇宗武. 80年代中期以来我省水资源的形势分析. 陕西水利, 2002, (1): 32 ~ 35

[16] Laura E. Toran. etc. Modeling alternative paths of chemical evolution of Na-HCO$_3$-type groundwater near Oak Ridge, Tennessee, USA. Hydrogeology Journal. 1999, 7(4), 355 ~ 364

[17] 刘存富, 王恒纯. 环境同位素水文地质学基础, 武汉地质学院水文地质教研室. 1984

[18] 黎兴国, 张茂省. 渭河白杨水源地环境同位素研究, 西安地质学院学报, 1995, 17(2): 50 ~ 56

[19] 连炎清. 大气降水氚含量恢复的多元统计学方法—以临汾地区降水氚值恢复为例. 中国岩溶, 1990, 9(2): 157 ~ 166

[20] M. E. Campana and E. S. Simpson. Groundwater Residence Times and Recharge Rate Using A Discrete-State Compartment Model and ^{14}C Date, Journal of Hydrology, 1984, (72), 171 ~ 179

[21] M. L. Davisson et al. Isotope hydrology of Southern Nevada groundwater: Stable isotopes and radiocarbon, Water Resources Research, 1999, 35(1): 279 ~ 294

[22] M. Sultan et al. chemical and isotopic constraints on the origin of Wadi El-Tarfa Ground Water, Eastern Desert, Egypt, Ground Water, 2000, 38(5): 743 ~ 751

[23] 乔晓英, 王文科. 基于 GIS 的冯家山灌区地质环境评价研究. 西安工程学院学报, 2001, 24(1): 30 ~ 36

[24] 钱云平,蒋秀华,金双彦,等.黄河流域河川基流计算与变化分析.黄河水文水资源科学研究所, 2003.

[25] 钱正英,张光斗.中国可持续发展水资源战略研究综合报告及各专题报告.北京:中国水利水电出版社,2001

[26] R. Favara. etc. Hydrochemical evolution and environmental features of Salso River catchment, central Sicily (Italy). Environmental Geology. 2000,39(11):1205~1215

[27] Robert G. LaFleur. Geomorphic aspects of groundwater flow. Grundwasser. 2000,5(3):125~140

[28] Scott C. Doney et al. A Model Function of Global Bomb Tritium Distribution in Precipitation(1960~1986),Journal of Geophysical Research, 1992,97(C4):5481~5492

[29] 水利部水资源司,南京水利科学研究院.21世纪初期中国地下水资源开发利用.北京:中国水利水电出版社,2004

[30] 水利电力部水文局.中国水资源评价.北京:水利电力出版社,1987

[31] 史鉴,陈兆丰,邢大伟,等.关中地区水资源合理开发利用与生态环境保护.郑州:黄河水利出版社, 2002

[32] 司全印,冉新权,周孝德,等.区域水污染控制与生态环境保护研究.北京:中国环境科学出版社, 2000

[33] 陕西省地勘局第一水文地质工程地质队.关中盆地傍河水源地地下水开发利用现状及潜力分析研究报告,1998

[34] 陕西省地勘局第一水文地质工程地质队.陕西富平—陇县隐伏岩溶地下水普查报告.1999

[35] 陕西省地质矿产局第一水文地质工程地质队.陕西省地下水资源评价.1983

[36] 陕西省地质矿产局综合研究队.陕西省现代大气降水氢氧同位素分布规律研究报告.1988

[37] 陕西省地质矿产局第二水文地质工程地质队.陕西省渭北东部地区岩溶水赋存规律初步研究报告.1985

[38] 陕西省地矿局第二水文地质工程地质队.陕西省渭北东部洛河河谷区岩溶地下水资源评价报告. 1995

[39] 陕西省地矿局第一水文地质工程地质队.关中盆地傍河水源地地下水开发利用现状及潜力分析研究报告.1998

[40] 陕西省地下水工作队.陕西省水文总站.陕西省地下水资源评价.1986

[41] 陕西省发展计划委员会.陕西省渭河流域综合治理规划综合报告.2002

[42] 陕西省国土资源厅.陕西省地下水资源评价.2002,12

[43] 陕西省国土规划办公室,长安大学.关中地区宏观经济模型及水资源优化配置决策支持系统研究. 1999

[44] 陕西省水工程勘察规划研究院.陕西省地下水资源调查评价研究.1998,12

[45] 陕西省水利厅.陕西省水利统计资料.1998

[46] 陕西省水利厅.1990~2000年陕西省水资源公报.

[47] 沈珍瑶,杨志峰,刘昌明.水资源的天然可再生能力及其与更新速率之间的关系,地理科学,2002,22 (2):62~66

[48] 田春声,李云峰,郑书彦,等.关中盆地环境水文地质问题.西安:陕西科学技术出版社,1995

[49] V. P. Parnachev. etc. Hydrochemical evolution of Na-SO$_4$-Cl groundwaters in a cold, semi-arid region of southern Siberia. Hydrogeology Journal. 1999,7(6),546~560

[50] Warren W. Wood and Ward E. Sanford, Chemical and Isotopic Methods For Quantifying Ground-Water Recharge in a Regional, Semiarid Environment, Ground Water, 1994,33(3):458~468

[51] W.J.M.Van der kemp et al. Inverse chemical modeling and radiocarbon dating of paleogroundwaters: The Tertiary Ledo-Paniselian aquifer in Flanders, Belgium, Water Resources Research, 2000,36(5),1277~1287

[52] 王大纯,张人权,史毅红,等.水文地质学基础.北京:地质出版社,1994

[53] 汪东云.关中盆地河水水化学特征及其对地下水化学成分的形成作用.水文地质工程地质,1981,(57):11~15

[54] 汪家权,朱湖根.考虑生态环境影响评价地下水资源,生态学研究,1992,2

[55] 汪明娜.跨流域调水对生态环境的影响及对策,环境保护.2002,(3):32~35

[56] 王文科,孔金玲,王钊,等.关中盆地秦岭山前地下水库调蓄功能模拟研究,水文地质工程地质,2002,(4):5~10

[57] 王文科.地下水有限分析数值模拟的理论与方法.西安:陕西科学技术出版社,1996

[58] 王文科.关中地区水资源合理开发利用中的几个问题.见徐德龙主编,第四届陕西省青年科学家论坛文集 资源环境可持续发展.西安:世界图书出版西安公司,1999,1~6

[59] 王文科,李俊亭.承压稳定井流的有限分析方程.西安地质学院学报,1994,16(3):68~73

[60] 王文科,李俊亭.地下水非稳定流的 LTFAM 算法,西安地质学院学报,1993,15(4):151~155

[61] 王文科,李俊亭.地下水流数值模拟的发展与展望.西北地质,1995,16(4):52~56

[62] 王文科,王钊,孔金玲,等.关中地区水资源分布特点与合理开发利用模式,自然资源学报,2001,16(6):499~509

[63] 王文科,王钊,孔金玲,等.西安市可供水资源的多目标优化配置和管理对策.国土开发与整治,2001,11(3):29~33

[64] 王雁林,王文科,杨泽元.陕西省渭河流域生态环境需水量探讨.自然资源学报,2004,19(1):69~78

[65] 王雁林,王文科,杨泽元,等.陕西省渭河流域面向生态的水资源合理配置与调控模式探讨[J].干旱区资源与环境,2005,19(1):14~21

[66] 王雁林,王文科,杨泽元,等.渭河流域陕西段水资源与生态环境保护.地球科学与环境学报,2004,26(1):78~84

[67] 王恒纯.同位素水文地质概论.北京:地质出版社,1991

[68] 王瑞久.山西娘子关泉的地下水储量估算.水文地质工程地质,1984,(5):34~38

[69] 万洪涛,杨勇.贵州后寨河喀斯特小流域水化学特性.中国岩溶,1999,18(4):329~336

[70] 徐恒立,周爱国.西北地区干旱化趋势及水盐失衡的生态环境效应,地球科学—中国地质大学学报,2000,25(5),499~505

[71] X.Song.etc. Conceptual model of the evolution of groundwater quality at the wet zone in Sri Lanka. Environmental Geology,1999,39(2),149~164

[72] 夏军,王中根,刘昌明.黄河水资源量可再生性问题及量化研究.地理学报,2003,58(4),534~541

[73] 杨志峰,沈珍瑶,夏星辉,等.水资源可再生性基本理论及其在黄河流域的应用.中国基础科学,2002,(5),4~6

[74] 曾维华,杨志峰,蒋勇.水资源可再生能力再议.水科学进展,2001,12(2):76~80

[75] 朱晓原,张学成.水资源变化研究.郑州:黄河水利出版社,1999

[76] 张洪平.中国大气降水稳定同位素组成及影响因素,中国地质科学院水文地质工程地质研究所所刊,1991,(7):101~110

[77] 张艳玲.陕西省渭河流域水文特性分析.西北水资源与水工程,2002,13(2),62~64

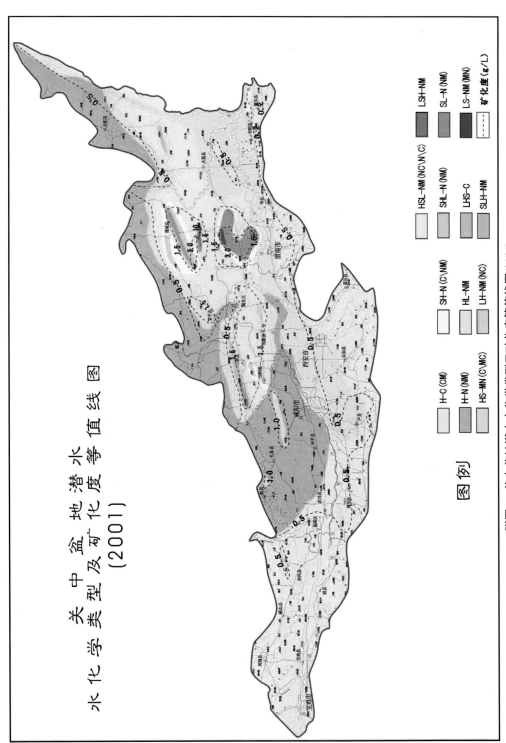

附图1 关中盆地潜水化学类型及矿化度等值线图(2001)

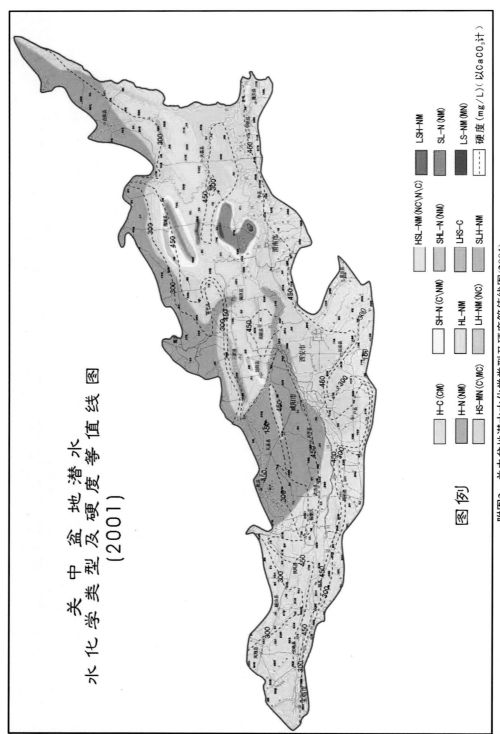

关 中 盆 地 潜 水

水 化 学 类 型 及 硬 度 等 值 线 图

（2001）

图例

	H-C (CM)		SH-N (C\NM)		HSL-NM (NC\N\C)		LSH-NM
	H-N (NM)		SHL-N (NM)		SL-N (NM)	
	HS-MN (C\MC)		HL-NM		LHS-C		LS-NM (MN)
			LH-NM (NC)		SLH-NM		硬度（mg／L）（以CaCO₃计）

附图2　关中盆地潜水水化学类型及硬度等值线图(2001)

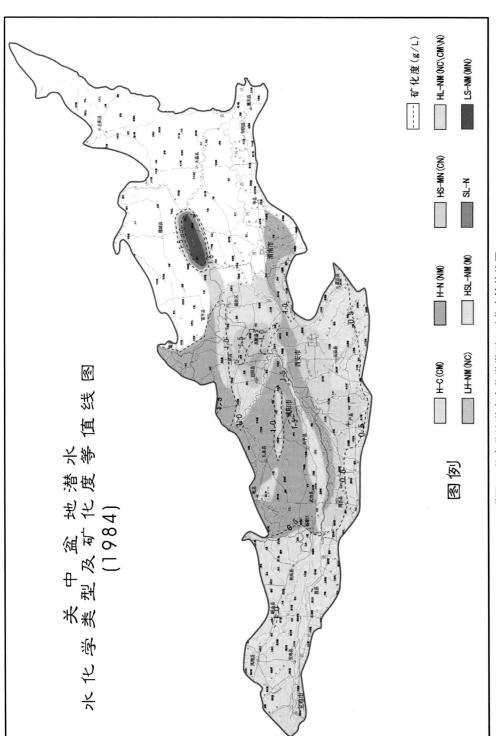

附图3 关中盆地潜水水化学类型及矿化度等值线图(1984)

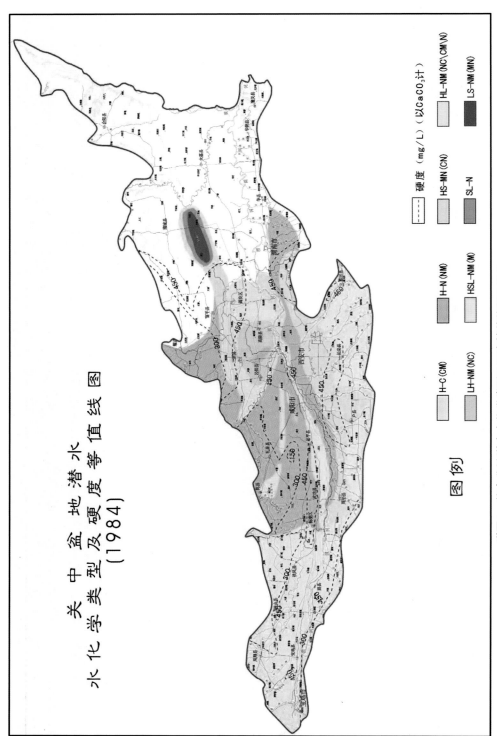

关中盆地潜水

水化学类型及硬度等值线图

（1984）

图例

	硬度（mg/L）（以CaCO₃计）
H-C (CM)	HS-MN (CN)	HL-NM (NC\CM\N)
LH-NM (NC)	SL-N	LS-NM (MN)
H-N (NM)		
HSL-NM (M)		

附图4　关中盆地潜水水化学类型及硬度等值线图(1984)

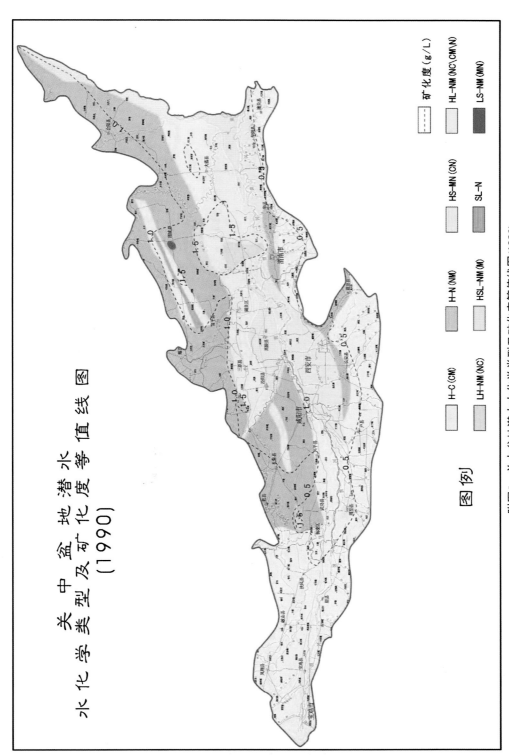

关 中 盆 地 潜 水
水 化 学 类 型 及 矿 化 度 等 值 线 图
(1990)

图例

矿化度（g/L）

HL-NM (NC\CM\N)

LS-NM (MN)

HS-MN (CN)

SL-N

H-N (NM)

HSL-NM (M)

H-C (CM)

LH-NM (NC)

附图5 关中盆地潜水水化学类型及矿化度等值线图(1990)

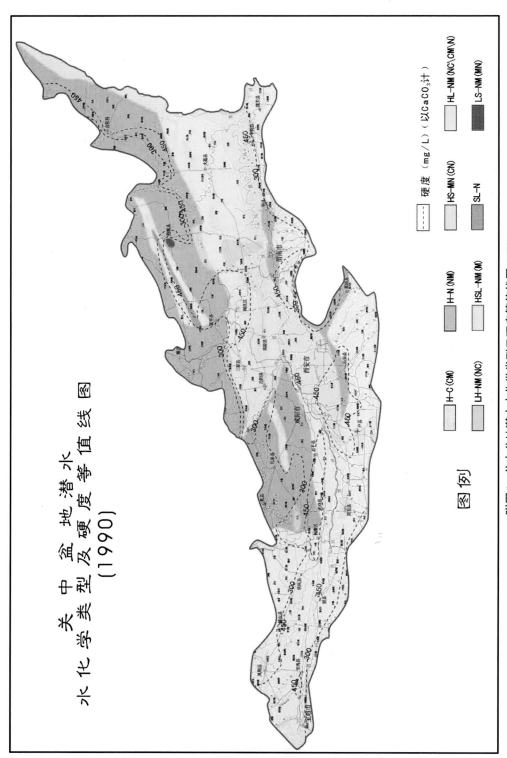

关中盆地潜水
水化学类型及硬度等值线图
(1990)

图例

	硬度 (mg/L) (以CaCO₃计)
H-C (CM)	HS-MN (CN)
LH-NM (NC)	HL-NM (NC\CM\N)
H-N (NM)	SL-N
HSL-NM (M)	LS-NM (MN)

附图6 关中盆地潜水水化学类型及硬度等值线图(1990)

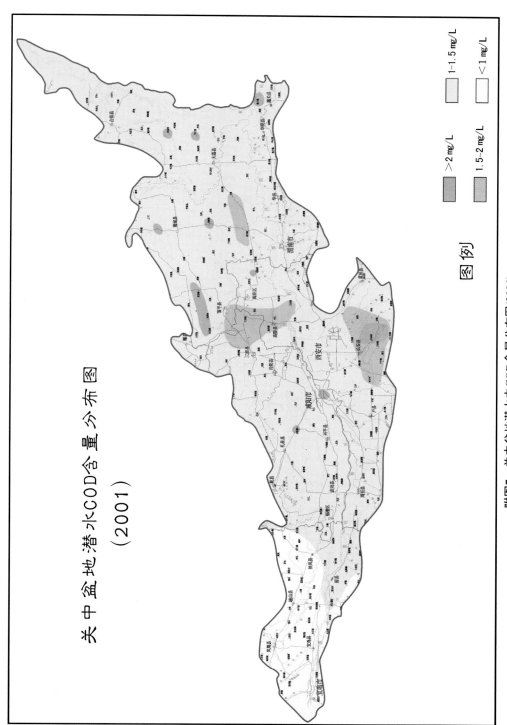

关中盆地潜水COD含量分布图
（2001）

图例

>2 mg/L

1.5~2 mg/L

1~1.5 mg/L

<1 mg/L

附图7　关中盆地潜水中COD含量分布图(2001)

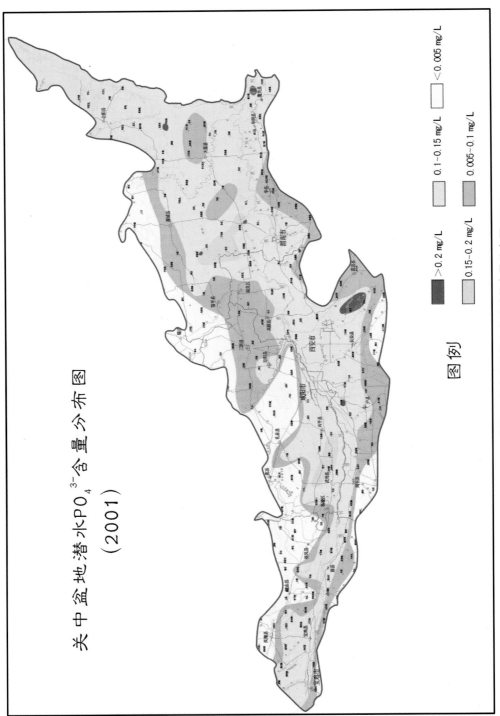

关 中 盆 地 潜 水 PO_4^{3-} 含 量 分 布 图
（2001）

图例

| >0.2 mg/L | 0.1~0.15 mg/L | <0.005 mg/L |
| 0.15~0.2 mg/L | 0.005~0.1 mg/L | |

附图8 关中盆地潜水中磷酸盐含量分布图(2001)